KB196793

달개비꽃

달개비꽃

정길연 소설집

청색종이

차례

달개비꽃

정길연 소설집

달개비꽃

I

휴대전화기가 한 차례 부르르 떤다.

세상 친절한 윤이다.

신문읽다사레들긴처음

메시지 창에 뜬 글자가 새로운 가십에 눈을 반짝이는 윤으로 바뀐다. 그 아래 깨알 같은 텍스트 사진을 따 붙여놓았다. 아마도 그것이 내가 알아야 하는, 혹은 그녀가 내게 꼭 알리려는 모종의 사건인가 보다.

텍스트를 확인하기도 전에 속이 시끄럽다. 몇 시간 차 안에 구겨져 있다가 일정에 쫓겨 빈속에 쇠기름 둥둥 뜨는

육개장을 욱여넣은 게 탈이 난 모양이다.

방금 전까지, 나는 디귿자 한옥 마당 한복판에서 지루하게 이어지는 퍼포먼스를 지켜보는 체 눈속임하면서, 실은 별채 툇마루 기둥에 등을 기댄 채 비몽사몽 졸고 있었다. 저 그늘 없는 마당에서 분망히 움직이는 사람들과 동행이면서도 맡은 소임은 없이. 약병아리처럼 끄떡끄떡 가을볕 바라기를 하게 된 데엔, 약간의 비즈니스가 개입했다.

이날 하릴없이 따라붙은 술도가 촬영 현장이 하필 남쪽의 고도(古都)에서 다시 몇십 킬로미터쯤 빠져나온 외곽이었다. 어렵게 섭외했다는, 본인 희망은 A클래스이고 싶겠으나 엔터테인먼트 시장의 냉엄한 평점으로는 B클래스 중 상위권을 턱걸이한 데 그친 코믹배우는 촬영 세팅이 끝날 시각에 맞춰 현장에 합류하기로 되어 있었고, 나야 스태프도 전통주협회 관계자도 아니건만 평소라면 이제 눈 좀 붙여볼까 할 첫새벽에 덜컥 여의도에서 출발하는 외주 제작사 봉고차를 타야 했던 것이다.

예닐곱쯤 되는 동승자는 한 사람 빼고 모두 초면이었다. 그 한 사람인 팽 감독 또한 방송과는 무관한 나를 이곳에 끌어들인 대학후배 황보와 바로 전날 포장마차에서 종이

컵에 담긴 멸치국물처럼 뜨뜻미지근한 인사를 나눈 사이일 뿐이었다.

피디 황보와 팽 감독은 각각 소속이 방송사와 외주 제작사였다. 흔히 말하는 갑과 을의 불평등이 충분히 예상 가능했다. 그러니 피디가 특별히 요청한 편의 제공을 거절할 수 없었던 감독이나, 가뜩이나 비좁은 자리를 내줘야 하는 스태프들이나, 정식 구성원도 아닌 옵서버로서 촬영장비만 해도 한 가득인 차량에 묻어가야 하는 내 신세나, 서로들 어색하고 곤혹스럽기는 매한가지였다.

내 딴엔 별것도 아닌 대화에 적당히 리액션을 쳐주고, 기지개와 배뇨와 흡연을 위해 들른 고속도로휴게소에서는 큰맘 먹고 아이스아메리카노 커피를 머릿수대로 돌리느라 옹색한 마음과 지갑을 털어야 했다. 커피는 내 돈 쓰고 내가 미안해질 만큼 맛이 없었다.

면허증은 있으나 자차는 없는바, 처음엔 황보의 제안을 받고 렌터카를 빌리는 게 낫지 않을까 짧게 고민했었다.

황보는 자신이 기획하여 편성 승인을 받은 송출용 방송 콘텐츠를 종이책으로, 즉 텍스트 위주의 결과물로 재가공인지 재활용인지를 해서 자신의 커리어에 작가 타이틀을 더 얹고 싶다는 야무진 포부를 피력하며 '누나가 도와 달라'고 했다. 대필과 윤문이 주 수입원인 내게 작업을 의뢰하겠다는 뜻인데, 그렇다면 도와 달라는 그의 말을 액면 그대로 믿어서는 아니 되었다. 황보와 팽 감독의 물밑 서열처럼, 그와 나도 선후배에서 갑과 을로 전환될 수 있음을 경계해야 했다.

게다가 황보가 누군가. 들어갈 때와 나올 때가 확 달라지는 녀석의 변덕을 잘 아는 터다. 과연 책이 나올 때까지 초반의 '삘'과 물적 지원이 유지될 것인가 하는 노파심이 생길밖에. 프로젝트의 성사 유무가 불확실한 만큼, 예비 클라이언트로서 녀석이 선수금이든 활동비든 가용할 실탄을 응당 제공해주리란 기대 자체가 김칫국인 상황이었다.

어쩌겠나. 결국 나는 눈 질끈 감고 제작진의 천덕꾸러기가 되는 쪽을 택했다. 콘텐츠 분위기를 읽을 겸, 사전 지출을 줄일 겸, 동시에 바람이나 쐴 겸, 이라는 핑계를 주르륵 달고 소중한 수면을 포기한 덕에 이렇듯 나른한 오후를 4,5백 킬로미터나 떨어진 남의 일터에서 개밥의 도토리처럼 겉돌고 있게 된 것이다.

*

보나마나. 문자메시지로 캡처한 기사를 공유하면서 윤은 습관적으로 툴툴댔을 게다.

이 여자, 혼자 중뿔나게 굴어.

본업인 일러스트레이션보다 돌아다니는 데 더 열렬하여 소셜 미디어 공간에 이것저것 올리는 취미로 하세월을 낚고 있는 윤 아닌가.

- 은둔자 코스프레하지 말고, 자기도 계정 하나 만들어. 하다못해 카카오톡이라도.

인스타그램이나 페이스북 같은 소셜 네트워킹 서비스를 이용하지 않는 나는 가끔 윤에게 억울한 지청구를 듣는다.

- 전화하면 되잖아.

- 일일이?

- 몰아서 하든가.

- 전화는 또 착실히 받기나 하셔?

- 문자하든가. 이메일도 있고.

- 지금이 어떤 세상인데?

- 난 안 불편해.

- 다른 사람 불편하게 만드는 거야, 그 은근 이상한 고

집. 나는 족족 쾌변인데 남이 변비라 그러면 괜히 내 뱃속이 콱 막힌 것 같은 기분이 든다고.

- 공평하네, 서로 조금씩 불편한 거. 난 문단속 안 하고 사는 거 같거든.

- 아무도 그 집 안 넘봐.

- 안 넘보는 것도 좀 서운할 것 같다. 빈집은 아닌데.

- 그러니까 빈집 아니라고 써 붙여. 남들이 폐가인 줄 알고 떠나기 전에. 떠나면 그냥 고이들 떠나나. 낙서 아니면 쓰레기를 남기지. 거, 브로큰 윈도우 뭐라는 깨진 유리창 이론이 왜 나왔겠냐고.

어차피 떠날 사람은 떠나더라는 내 소심한 변명에 윤은 먼저 선수를 쳐야 한다고 충고했다.

선제적 차단이라니. 그건 세상 친절한 윤의 입에서 나올 말이 아니다. 그녀는 이미 떠난 사람도 되돌려놓을 수 있는 사교의 귀재다. 아주 사소한 인연도 놓치지 않고 연락처 목록에 담아두고 길이길이 친분을 쌓아가는 인맥수집가, 윤.

내리꽂는 햇살을 구부정히 몸 숙여 막고 윤이 보내준 텍스트 사진을 확대한다. 뜻밖에 오드 아이 고양이나 인테리

어가 잘 된 카페 셀카 대신, 신문 한구석을 캡처한 기사다. 너무나 익숙하면서도 너무나 낯선 얼굴이, 와락 달려들 듯 눈을 찌른다.

이건 가벼운 잽이 아니라 강력한 훅인데.

문화운동가이자 연극연출가 방 아무개와 동갑내기 변호사 김 아무개가 아무 날 아무 시 아무 데서 결혼식을 올리기로 한다며, 굳이 신랑 방은 재혼이고 신부 김은 초혼이라고 밝혀놓았다.

이것이 그의 방식인가. 신문을 통해, 하필 윤을 통해 이 소식을 접하게 하는 것이 그가 늘 말해온, 인간에 대한 예의와 신의를 지키는 방식인가.

기사 우측 상단에 방의 사진이 실려 있다. 사진 속에서 방이 싱긋 웃는다. 국제 인권단체와 시민단체의 전방위적 구명운동으로 3년여 금고형(禁錮刑)을 당겨 풀려나던 날, 그는 카메라 앞에서 그렇게 환히 웃으며 정의를 입증했다.

연극연출가 방 아무개와 동갑내기 변호사 김 아무개…….

다시 읽어보아도 요령부득이다.

육하원칙을 요하는 동정란 기사가 으레 그렇듯, 내용이 명확하고 분량이 짤막해서 미간을 찡그리며 오래 들여다

볼 필요도, 그럴 만한 가치도 없다. 그럼에도 내게는 고대의 쐐기문자로 쓰인 제조법처럼 복잡하고 난해한 문장이다. '언제', '어디', '누구'라는 지시 또는 인칭 대명사마다 내 변연계에 저장된 무수히 많은 언제와 어디와 누구가 꼬리에 꼬리를 무는 자동연상을 불러와 단순한 정보로 읽히는 것을 방해하기 때문이다.

윤은, 아마도 신이 나겠구나. 나를 살피고 싶어 몸이 달았겠구나.

엉뚱하게 화살이 윤에게 꽂힌다.

방이 아니라 윤에게 배신감과 패배감이 드는 까닭은 뭔가. 윤이 의심했듯이, 내 진심 또한 진심이 아니라 과시였던 것인가.

방과의 관계를 털어놓았을 때 윤은 자신의 이마를 짚으며 한숨을 쉬었다. 애만 붙들고 있지 말고 연애도 좀 하고 살라며 몇몇 독신 지인들을 술자리에 불러들일 때와는 딴판이었다. 그때는 싫다는데도 화장법을 조언하고 옷차림을 지적하며 바람을 잡더니.

- 그 양반이 왜?

온전한 문장은 '그 양반이 왜 너를 만나?'였으리라.

윤은 내가 방과 사귄다는 걸 믿으려 하지 않았다. 인정하기 싫은 티를 냈다. 90년대 대학의 이념서클을 거쳤다는 윤에게 방이 아무리 전설이었기로서니, 군사독재시대의 반체제 인사가 붉은 띠 한 번 동여매지 않았던 회의분자와 사귀다니 가당키나 하느냐는 관점이었다.

- 그러게.

질문의 행간이 극히 무도했음에도 나는 왜 고개를 끄덕였을까. 내 속에도 그의 다가옴에 대한 의구심이 있었을까. 그를 거부하지 못하는 나를 스스로 불순하다고 여겼던 걸까.

- 어떻게 만났어? 두 사람, 접점이 없잖아?

축하도 응원도 아닌, 추궁이었다. 꼭 그래야 할 까닭이 없는데도 나는 또 순순히 묻는 대로 답을 했다.

- 나, 작년 봄여름 내내 극단 무크지 창간하는 거 알바했잖아?

- 그때? 아플 짬도 없다던 때 아냐?

- 그땐 진짜 그랬고. 나중에 늦은 가을엔가, 잡지 나오고 뒤풀이에 불려서 갔더니 나와 있더라.

연극론 교재를 윤문해준 인연으로 알게 된 연극과 교수가 연결한 아르바이트였다. 꽤 탄탄한 사업체를 가지고 있으면서 메세나 활동에 열심인 고교동창이 무크지 발간에 드는 비용 전액을 부담했다고 들었다. 민 교수로부터 '지요 씨가 맡아주면 좋겠다'라는 연락을 받았을 때는 동쪽 귀인이라도 만난 듯 반가웠다.

당시에 나는 잔고는커녕 마이너스통장과 카드대출을 막느라 피가 마르던 중이었다. 아들 솔이 학교에서 친구와 뒤엉키다 코뼈를 주저앉혀 병원비와 위로금으로 꽤 큰돈이 필요했던 터라 되는 대로 끌어다 썼던 여파였다.

그 전에, 제 깐엔 억울해서, 애가 사고 친 경위를 주말에 만난 아버지에게 털어놓았던가 보았다. 웬일로 아버지가 돈을 맞춰주겠다며 큰소리를 쳤다기에, 죽으라는 법은 없나 보다 했다. 말 한마디도 섞기 싫은 인간이 달리 보이기까지 했다. 그러나 웬걸, 정작 그는 저쪽 부모와 약속한 날까지 연락두절이었다.

그럼 그렇지. 사람 안 변하지.

8년 전 갈라선 이후로 양육비는 고사하고 4B연필 한 자루 사준 적 없는 화상이었다. 개과천선하여 뒤늦게 애비구실 하려나 보다 방심했던 내 탓으로 돌리는 수밖에. 아파트 담보로 선물에 투자했는데 그게 그만 깡통이 돼버렸네, 라는 뒤늦은 변명 나부랭이는 시쳇말로 어이상실이었다. 몰래 잡혔다는 그 담보물도 새 여자의 점잖은 친정부모가 희한하게 코가 꿰인 딸을 위해 장만해준 일종의 혼수라고 들었건만.

무슨 일이든 가릴 처지가 못 되던 내게 떨어진 일감은 청탁 및 기고로 들어온 글 원고를 다듬고 기획기사 두어 꼭지를 새로 작성하는 것이었다. 단기간에 끝낼 수 있는 일감이 아니어서 버겁긴 했으나, 대우도 사례도 후한 편이었다.

눈에 띄는 실수 없이 일을 마쳐준 것으로 무사히 매듭을 지었다고 생각했는데, 찬바람 불 때쯤 창간팀 회식을 마련했다며 문자메시지가 날아왔다. 지나가는 인연까지 챙기는 성의가 어딘가 싫었으나 그럴 깜냥도 못 되거니와 내가 낄 자리가 아니라고 생각했다. 그리 잊고 있다가 당일 오전에 재차 참석을 종용하는 전화를 받았다. 둘러대기도 늦었고 거절하기도 미안해서 참석을 약속했다. 비정기 간행물이고, 연극시장의 불경기로 언제쯤 다음호 제작에 들어갈지 알 수 없긴 해도, 다시 맡을 수도 있는 일감이라는 점도 작용했다.

- 자기가 나한테 일러스트 외주 줬던 그 잡지, 맞지?

윤이 다소 뾰족하게 짚었다. 그런데 나는 왜 뺐니, 라는 뉘앙스여서 당혹스럽기도 한. 그렇다고 외주에 참여한 모든 프리랜서들을 다 부른 건 아니라고, 또 내게 그럴 권한이 있지도 않은 걸 어쩌느냐고 되짚어줄 수는 없는 노릇이었다.

- 무대감독인가 하는 사람이 자기 그림 좋더라 칭찬하더라고, 내가 자기한테 인사 전해준 적 있었잖아. 그게 그 날이었어.

- 나야 그냥 전해주는 말인 줄 알았지. 회식이 있었고, 회식자리에 방 선생 합석했다는 건 쏙 빼고 말해줬잖아. 제법 앙큼하다, 자기?

윤이 묘하게 어깃장을 놓았다. 내가 내 연애에 대해 한동안 입을 봉해서가 아니었다. 유난히 사람 욕심이 많은지라 내가 아는 사람은 저도 마땅히 알아야 한다는 논리였다. 그러면서도 '나는 그래야 되고 너는 그래선 안 된다'는 식이어서 자신의 인맥은 쉬 풀지 않았다.

- 괜찮겠어?

- 뭐가?

윤이 걱정해주는 체하면서 길게 골을 부리는 이유는 곧, 상대가 정치적 입장이 다른 양 진영에서 주목하는 방이라는 것, 어쩌면 그 자리에 동석해서 말을 건네 볼 수도 있을 기회를 나의 무신경 때문에 놓쳤다는 것, 그 무신경이 자기를 배제하려는 심리기제일 수도 있다는 것, 아무튼 자신으로선 애석하고 내게는 괘씸해서, 등등이었다.

- 상대가 좀…… 쉽지 않지 않아?

- 무슨 뜻이야?

- 자기 상처받을까 봐 그래.

- 단도직입적으로 말해.

- 그러니까 그 양반, 왠지 그림이 안 그려져서. 누가 그러더라고, 여자한테 사근사근하게 구는 남자 아니라고.

- 전엔, 그랬나 보지.

- 자기도 그런 타입 아니지 않아? 장작개비 같단 소리도 들었다며, 솔이 아빠한테. 아이 참 쏘리. 이 말은 자기가 나한테 해준 말이다?

- 전엔, 나도 그랬나보고.

윤을 인내해야 하는 건 아들 솔의 진로 문제가 걸려 있어서다.

솔은 일러스트레이션을 전공하고 싶어 한다. 미술학원을 알아보고 등록하는 과정에 윤으로부터 실용적인 조언과 간접적이나마 금전적인 도움도 받았다. 미술학원 선택과 수업비를 고민하고 있을 때 윤이 선뜻 움직여준 것이었다.

윤은 풍성한 인맥을 동원하여 규모가 크고 입시 진학률이 높은 브랜드 미술학원을 골라주었을 뿐 아니라, 나의 진짜 고민거리였던 수업료를 절반 수준으로 낮춰주었다. 직원 자녀 할인 제도를 적용받았다고 했다. 장학금이라고 생각하라던 윤의 응원이 진심으로 고마웠다.

그러나 고마움으로 윤의 모든 언행을 수용하기엔 한계가 있었다. 별거 아니라고, 이모가 돼서 그 정도도 못 해주냐고, 멋쩍은 듯 손사래를 치던 윤이 딴 자리에 가서는 은근슬쩍 공치사를 일삼는다는 사실을 알게 되었을 때는, 낯이 화끈거렸다.

두 사람 이상만 모이면 알게 모르게 서열이 생긴다더니, 그녀에게 나는 이미 을이었다. 그리고 어쩌면 나 스스로도 을의 태도로 처신하고 있었다는 자격지심이 들었다. 세상 사람들이 단짝친구로 알고 있는 윤은, 내게는 견뎌야 하는 불가근불가원의 존재였다.

*

음향 스태프가 북슬북슬한 장대 마이크를 들고 마당을 어슬렁거린다.

좀 전에 도착해 곧바로 메이크업을 마친 코믹배우는 브라운관에서와는 사뭇 다른 진지한 표정으로 대본을 넘기는 중이다. 마구 들이대는 카메라와 둘러선 구경꾼들을 어쩌지 못해 연신 입술을 오므렸다 내밀었다 하는 종부(宗婦)와 술 내리는 이야기를 나누는 것쯤 일도 아닐 것이다.

내가 할 일이라곤 카메라 밖의 성가신 객 노릇뿐이다.

돌이켜보면 어디에서도 한 번도 주인공인 적이 없었던 것만 같다. 내 인생에서도. 내 연애에서도.

내 인생은 내 것이었을까. 내 연애는 진짜 연애였던 것일까. 어쩌다 나는 내 삶에서조차, 내 연애에서조차, 주인공이 되지 못했을까.

해 멀미를 하는지 눈앞이 어질어질하다. 머리가 깨질 듯 아프고 속도 메스껍다. 날카로운 뼛조각이 명치를 후비는 것 같다. 볕이 저리 화창한데, 얼음물에 닿은 듯 손발이 싸늘하다. 식은땀은 식은땀대로 버쩍버쩍 난다. 어디에든 가서 드러눕고 싶은 마음이 굴뚝같다. 기왕이면 제대로 감을 잡아보려고 여기까지 따라붙은 것인데, 본 촬영에 들어가기도 전에 몸도 마음도 급전직하다.

황보는 날 여기까지 내려보내고, 저는 왜 미적지근한가.

그보다 나는 왜 모든 일에 필요 이상 애를 쓰나.

와중에, 손 안에서는 또다시 휴대전화기가 진저리를 친다.

빌어먹을, 윤이다. 윤답다.

이 여자는 무엇을, 기어이, 확인하고 싶은 걸까.

전화를 받지 않자 연거푸 단문의 문자메시지가 날아든다. 열려 있는 방문을 기어코 열게 하고야 말겠다며 두드리는 노크처럼.

알고있었어? 둘이헤어졌단말없었잖아?

그양반특기가잠수가아니라양다리인듯

목소리좀듣자 문자라도하든가

간신히 지탱하고 있는 마음의 장력이 무너진다.

윤과의 관계를, 혹여 그 관계가 쌀알만 한 우정이었다 한들, 끝을 내기로 다짐한다. 번번이, 별안간 사라졌다 나타나기를 반복하던 방을 다시 볼 일 없게 된 것처럼, 이참에 이 여자도 지우자.

"자, 조금들 뒤로 물러나 주시고요……."

팽 감독이 둘둘 말아 손아귀에 쥔 스크립트를 휘젓는다.

감독도 음향도 메인 카메라도 덩치가 비슷비슷한데다 모두 같은 로고가 새겨진 점퍼를 걸치고 있어 앞쪽을 보기 전에는 구분이 잘 안 간다. 생김새도 다 다르고 성격도 제각각이던데.

팀 중에 여자 스태프는 보조 캠코더와 대본 작가 둘뿐이다.

뱃속 사정은 한계로 치닫고 있다. 휴대전화기의 전원을 끄고, 툇마루에 내려놓았던 배낭을 둘러멘다.

국화주 명인은 소줏고리 주둥이에서 똑똑 떨어지는 술방울을 들여다보고 있다. 사위라고 소개했던 것 같은, 일꾼인지 전수자인지는 불기운에 벌게진 얼굴로 아궁이 속에서 타고 있는 장작을 뒤적인다.

"자, 말소리 내지 마시고, 이동 중지해 주시고, 들어갑니다, 레디!"

시커먼 점퍼 가운데 하나가 그렇게 외치는 중에, 어쩌자고 나는 슬슬 게걸음으로 마당을 가로지르고 만다.

"캇! 참 내."

이어서 "아, 씨발" 하는 낮고도 찰진 욕이 꼭뒤에 들러붙는다.

나는 뒤돌아보거나 멈춰 서지 않는다. 감독인지 카메라

인지 중요하지도 않다. 누군들 어떠랴. 머릿속에서는 방과 나, 윤과 나, 황보와 나, 또 다른 숱한 갑들과 나 사이에 낀 불변의 팩트들과 해석된 기억들과 왜곡된 의미들이 순식간에 뒤엉켜 고장 난 전광판처럼 까맣거나 하얗게 깜박이고 있다.

참을 수 없는 욕지기가 꾸역꾸역 밀려 올라온다.

나는 뒤울로 빠져나와 허물어져 내려앉은 흙담 앞에서 1, 2초간 방황한다. 경사가 급한 언덕 쪽으로는 국화주 원료인 노란 감국이 무더기무더기 덤불을 이루고 있고, 도랑을 낀 평탄한 외길은 야트막한 동산으로 이어진다. 길가 키 낮은 풀숲에는 분홍 고마리와 좀 더 진한 분홍빛 물봉선과 쪽빛 닭의장풀 꽃들이 듬성듬성 흩어져 있다.

뒤뜰에서는 잘 보이지 않지만, 겨울 배추를 심어놓은 밭 너머 군내버스가 통과하는 도로변에는 한 줄로 늘어선 미루나무와 전신주 들에 수십 마리가 넘는 까마귀들이 내려앉아서 마을의 집들을 지켜보고 있을 것이다.

아까 외주 제작사 봉고차를 타고 마을로 들어올 때 검은 새들이 한꺼번에 까악까악, 목쉰 울음소리를 내며 나뭇가지를 차고 오르는 걸 보았다. 타닥타닥, 잔가지 부러지는 소리가 내게는 마치 잔불 속에서 솔방울이 터지는 소리처럼 들렸는데.

황톳빛 흙담을 밟고 넘어서려는데 불현듯 무엇에 이끌린 듯 고개가 돌아간다. 날 부를 사람은 없다.

헛간 옆에 외따로 서 있는 감나무 한 그루가 눈에 들어온다.

아니다, 거기, 늙은 감나무 아래 우두커니 서 있는 한 남자가 눈에 들어온다.

아.

제작팀이 도가에 도착했을 때, 국화주 명인과 무슨 얘기를 주고받다가 슬그머니 자리를 피해 주던 남자다. 벙거지 밑으로 빠져나온 꽁지머리가 제법 길고, 멜빵 작업복 차림만으로도 몸 쓰는 일에 능숙할 것 같던, 곧장 시야에서 사라진 뒤로 전혀 눈에 띄지 않던 남자.

그 남자가 나를 지켜보고 있다. 있, 었, 다!

남자가 나를 돌려세운 것일지도 모른다는, 말도 안 되는 생각이 전광석화처럼 지나간다.

나는 그를 쳐다보고, 그도 나를 쳐다본다.

공중의 일합(一合)처럼, 쨍한 햇살이 교차하면서 칼끝같이 예리한 빛을 반사한다. 찔린 것처럼 눈이 시큰하다. 두 눈을 씀벅인다. 무슨 조화를 부린 듯, 빛과 빛이 예기(銳氣)

를 잃고 스러지는 그때, 노을처럼 연붉은 동이감 한 알이 툭, 남자의 발치에 떨어진다.

내 안에서도 묵직한 불덩이 하나가 툭, 떨어진다.

남자가 천천히 허리를 꺾어 붉은 감으로 손을 뻗는다. 갈아먹지 않는 남새밭에 짚북데기가 널려 있어 감은 두어 길 높이에서 낙하하고도 온전하다. 그조차 무슨 조화를 부린 것 같다.

달아나듯, 나는 남자가 허리를 채 펴기 전에 무릎께까지 올라오는 흙담을 타넘는다. 그대로 입을 틀어막은 채 달린다. 다리가 풀려 비척거리다 풀숲을 헤치고 개울가에 이르러 급하게 허리를 꺾는다. 꺾으며, 웃자란 닭의장풀이며 고마리며를 한 손에 잡히는 대로 감아쥔다. 감아쥐며, 속엣것을 쏟아낸다. 쏟아내며, 까무룩 주저앉는다.

등 뒤에 따라붙던, 마른 풀 밟는 발소리가 잦아든다.

눈꺼풀 안쪽에 푸르스름한 어둠이 내려온다.

II

형체도 질감도 색채도 가늠할 수 없는 질긴 막이 온몸을 둘둘 싸고 있는 것 같다. 랩으로 감아놓은 고깃덩이가 떠오른다.

눈까풀을 도로 닫는다.

이곳이 어딘지, 내가 왜 여기에 있는지 알지 못한다. 오로지 그 막을 찢고 밖으로 나가야 한다는 생각뿐이다. 심호흡을 한다.

바퀴 구르는 소리, 두런두런하는 말소리, 물체가 부딪는 소리, 알아들을 수 없는 노랫가락, 둔탁한 소리, 날카로운 소리……들이 점점 커진다.

좋아, 지금이야.

눈을, 번쩍, 뜬다.

희미한 약품 냄새가 코끝에 닿는다. 소리로부터, 냄새로부터 달아나고 싶은데, 몸을 움직일 수 없다. 머리가, 아니 전신이 무겁다. 목을 쳐들 수도, 손을 뻗을 수도 없다. 눈동자를 굴려 주위를 살핀다.

낯선 곳이다. 낯선 곳에 나 혼자다. 뭔가 착오가 생긴 게 분명하다.

……누구 없어요?

혀가 풀리고, 굳었던 근육이 조금씩 느슨해진다. 새살이 돋을 때처럼 가렵다.

좌우를, 위아래를, 두리번거린다.

천장이 희고, 벽이 희다. 대각선 벽 쪽으로 밀어붙인 빈 침대 위에는 사용하지 않은 시트와 베개가 얌전히 개켜져 있다. 소리가 들려오는 곳은 한 뼘쯤 열려 있는 문 바깥, 복도 쪽이다. 내 몸은 저 문을 통해 이곳으로 옮겨졌을 것이다.

나는 그다지 질이 좋아 보이지 않는 분홍색 차렵이불을 덮고 있다. 이불 밖으로 내놓인 팔에는 주삿바늘이 꽂혀 있고, 폴대에는 링거병이 매달려 있다. 링거병에서 맑은 수액 방울이 똑똑 일정한 간격으로 떨어진다.

그제야 정신이 돌아온다. 꿈 없는 잠에 빠져들기 전, 나는 다른 방에 누워서 벌벌 떨고 있었다. 내 손을 잡아줄 사람은 없었다. 원하지 않은 일이기도 했다.

수술방 간호사의 얼굴은 특징이 뚜렷했다. 어두운 색상의 파운데이션으로도 가리지 못한 연한 가짓빛 반점이 눈두덩이 위에서 눈 아래까지 그늘처럼 드리워져 있었다. 절대로 잊지 못할 얼굴이었다.

간호사가 고개를 반쯤 돌려 준비가 다 되었다고 말했다. 커튼이 열리면서 마스크를 쓴 여의사가 장갑 낀 손을 쳐든 채 불쑥 나타났다. 나는 의사와 눈을 마주치지 않으려고 천장에 달린 무영등을 올려다보았다. 두 다리를 벌린 기묘한 자세가 내가 취해야 하는 최선이었다.

- 자, 시작합니다.

천만에요, 시작이라니요. 이건 끝이에요. 끝장이에요.

금속성 기구들이 내는 부주의한 소음이 심장을 마구 찔렀다. 아랫도리에 닿는 서늘한 이물감이 세상에서 가장 낮은 곳으로 나를 끌어내렸다. 내동댕이쳤다.

- 따라해 보세요. 하나.

의사를 따라 하나를 세고, 둘을 세고, 셋을 셌다.

그리고 두 개의 침대와 두 개의 간이의자가 전부인 회복실에서 눈이 떠졌다. 그렇게 나의 일부와 나의 과오와 나의 과거가 뭉텅 잘려나갔다. 자신도 모르는 새 잊고 잊히는 수많은 시간들처럼.

이제 방은 지워진 이름에 불과하다.

다시 눈을 감는다.

아무런 의혹 없이 처음 본 남자를 따라갔던 그 오후를 떠올린다. 계피향과 생강향이 은은히 떠돌던 남자의 거처를 떠올린다. 무쇠주전자에서 진하게 달여진 차를 회황색

다완(茶碗)에 담아 내 쪽으로 밀어주던 남자의 손을, 찻물에 꽃순 하나를 똑 따서 띄워 주던 남자의 손길을 떠올린다.

남자는 질박하고, 섬세했다.

공방 선반에는 남자가 구운 생활자기들이 질서정연하게 포개져 있었다. 접시며 면기며 술잔 들뿐 아니라, 남자의 손처럼 투박한 굽다리 머그잔에도 개울가 풀숲에 흔하디흔하게 널린 야생의 풀꽃들이 돋을새김돼 있었다. 오래도록 눈에 남는 연홍, 진홍, 청잣빛 채색 문양들이었다.

어쩐지.

어쩌나.

소독약 냄새와 피비린내가 살짝 떠도는 것 같은 이 방에서 눈이 떠질 때까지, 내 심연의 의식은 그날 그 공방을 배회하고 있었던 게다.

나아갈 수도 없는, 물러날 수도 없는 제자리걸음을 걷고 있었던 게다.

*

돔 지붕을 얹은 것 같은 촘촘한 나뭇잎 그물을 뚫고, 파란 하늘과 붓 자국 같은 새털구름이 언뜻 보였다.

그보다 먼저 등을 둥글게 말고 무릎을 꿇은 채 나를 내려다보는 남자가 보였다. 허리 숙여 낙하한 감을 줍던, 그보다 먼저 눈이 마주쳤던 그 남자였다.

- 정신이 듭니까?

남자가 덤덤히 물었다.

나는 오솔길에서 조금 비낀 풀숲에 누워 있었다. 초면의 여자를 끌어다 눕히고 배낭으로 다리 쪽을 높여준 것도 남자일 터였다. 게다가 남자의 손가락이 내 손목을 지그시 누르고 있었다.

- 그런 것 같네요.

몸을 일으키려 했으나 수월하지 않았다.

- 천천히 하세요. 무리하지 말고요.

남자가 잡고 있던 내 손을 가슴 위에다 얌전히 돌려주며 말했다. 사투리를 쓰진 않았으나 억양은 그 지역 본새였다.

- 거의 평맥(平脈)으로 돌아온 것 같습니다.

- 꼴이 말이 아니네요.

- 토하고 그대로 정신을 잃더군요. 이런 일, 자주 있습니까?

- 그게…… 가끔요.

앉았다 일어날 때마다 눈앞이 아찔해지는 증상은 일상적이다시피 했다. 내과에서는 기립성저혈압이라고 했다. 하지만 미주신경성 실신도 일 년에 한두 차례 기습적으로 찾아오는 불청객이었다. 된통 체했거나, 신경이 극도로 불안정할 때 전조 증상이 왔다. 손발부터 차가워지고 간혹 창자가 끊어지는 듯 뒤틀리면서 온몸이 식은땀으로 축축해지면 구토로 이어지는 식이었다. 가볍게 왔다 진정이 될 때도 있지만 구토에서 멈추지 않고 한순간 정신을 놓치는 사태로 넘어가는 게 문제였다.

- 저 얼마나 이러고 있었나요?

이번엔 주기가 좀 빨랐다. 달포 전에도 한밤중에 변기를 붙들고 속에 든 것을 깡그리 토하고 일어서다 그대로 정신을 놓았다. 방이 또 무단히 연락을 끊어 보름 가까이 거취가 묘연할 즈음이었다. 예상치 못했던 내 몸의 변화 때문에 더욱 예민해져 있던 시기이기도 했다.

쓰러질 때, 욕실 입구의 철제수납장 쪽으로 기울었던 모양이었다. 한기를 느끼며 깨어나 보니 길바닥의 취객마냥 몸을 구긴 채 구석에 처박혀 있었다. 무르팍과 바깥쪽 허벅지에도 시퍼렇게 멍이 들어 있었다. 뾰족한 모서리에 뺨이나 머리를 찧지 않은 게 천만다행이었다.

아들은 제 방에서 세상 모르고 자고 있어 그 소동을 알지 못했다. 내 의식이 정지된 채 흘러간 시간을 알아낼 수 없었다. 그 밤에 내가 얼마동안이나 비틀어 짠 걸레처럼 쑤셔 박혀 있었는지 모른다는 것이 익숙한 공포로 다가왔다. 오래 전 아버지도 하필 아무도 퇴근하고 없는 사무실에서 뇌일혈로 쓰러져 다음 날 아침에야 발견됐었다. 골든 타임을 놓친 것보다 책상 모서리에 뒤통수를 찧은 게 더 치명적이었다. 지금 내 나이밖에 안 되는 마흔하나 젊은 아버지는 혼수상태로 3개월을 버티고 우리를 떠났다.

- 한 오륙 분?

- 아…… 궁금했거든요, 그게.

- 차도나 사람 없는 곳이었다면 다르죠. 위험한 일을 당할 수 있어요. 혹시나 해서 119를 부르긴 했는데, 여기까지 들어오자면 시간이 좀 걸릴 겁니다.

- 아뇨, 아뇨. 그러지 않아도 된다고, 오시지 말라고 말씀 좀……. 보세요, 멀쩡하잖아요.

남자가 자신의 휴대전화기로 지역 소방대에다 이쪽의 상황을 새로 알리는 동안, 나는 옷에 붙은 검부러기를 대충 털어내고 배낭을 둘러멨다.

통화를 마친 남자가 나를 일별하더니 말없이 내게서 배

낭을 벗겨내 자신의 한쪽 어깨에다 걸었다.

남자가 하는 대로 내버려두었다. 아무렇지도 않게 구는 남자의 행동이, 나도 아무렇지 않았다. 천만뜻밖에, 이물스럽지 않았다. 살면서 이유 없는 친절이 사실 얼마나 무서웠던가. 친절이 무도함으로 돌변하는 데도 이유가 없지 않은가. 그래도 되는 듯이 배낭을, 나를 맡기고 있는 내가 별스럽다면 별스러웠다.

나는 두세 걸음쯤 떨어져 남자를 뒤따랐다. 남자의 손 안에 연붉은 동이감이 들어 있다는 걸 그때야 보았다.

여태 저걸 들고 있었다니.

- 근데 어떻게, 알고 따라오셨던 건가요?

- 처음 뵀을 때부터 안 좋아 보였는데, 아깐 진짜 좀 이상했거든요. 얼굴이 하얘가지고…… 탈이 나겠구나 싶었어요.

- 체했던가 봐요. 한잠도 못 자고 출발한 데다.

- 네에, 것도 그럴 수 있겠는데, 혹시 다른 문제가…….

앞서 걷던 남자가 상체를 반쯤 틀어 묻는 얼굴로 나를 쳐다보더니 뒷말을 접었다.

- 아닙니다.

그러고는 다시 앞으로 몸을 돌렸다.

휘우듬하게 흔들리는 다리에 힘을 주고 무표정을 가장했으나, 남자는 흠칫 쪼그라드는 나를 읽었던 게 틀림없었다. 나의 다른 문제를 직감했다면, 놀라웠다. 이제껏 손짓이며 발걸음이며 풀어진 데가 없던 남자였다. 결기가 있는 눈매에도, 눈빛은 서늘하고도 온정했다.

그 눈으로 나를 어디까지 읽어낸 걸까. 남자가 읽은 나는, 어떤 종류의 아둔함일까.

- 촬영 때문에 내려오신 거죠?

남자가 자질구레한 것이 끼어들 여지가 없는 뚝뚝한 말투로 화제를 바꾸었다. 무심한 듯 배려하고, 배려하면서 덤덤히 사람을 대하는 태도란, 실은 하루아침에 익힐 수 없는 것이다.

어이없게도, 남자가 궁금했다.

- 묻어오긴 했는데, 제가 낄 자리가 아니다 보니 천덕꾸러기죠, 뭐. 이따가 갈 때도 묻어가야 해서 끝나기를 기다리는 수밖에 없고요.

남자가 걸음을 멈추더니 다시 한 번 상체를 반쯤 틀어 나를 쳐다보았다. 이어 눈짓으로 촬영 현장과는 다른 곳을 가리켰다.

- 저 끝집이 제 공방인데, 마치려면 한참 걸릴 것 같으니

까 우선 좀 쉬어두는 게 어떻겠습니까? 체기에 마실 만한 차도 있습니다.

무엇에 홀리지 않고서야.

나는 체면치레용 사양이나 망설임 없이 고갯짓으로 응했다. 그리고 여행자처럼 남자의 걸음을 좇았다. 노트북이 들어 제법 묵직한 내 배낭까지 대신 멨으니, 남자야말로 딱 마중 나온 게스트하우스 주인장 행색이었다.

*

단잠이었다.

소파에서 눈을 뜨니, 맥락은 사라지고, 우연히 포착한 스냅숏처럼 딱 한 장면만 또렷했다. 솔과 방과 윤, 팽 감독과 황보 피디와 이목구비가 흐려 개별화되지 않는 스태프들, 심지어 구경 나온 마을 사람들과 고속도로휴게소 커피부스의 판매원까지 총동원하여 나를 원으로 에워싸고 내려다보다가 갑자기 확 흩어지는, 그래서 끝에는 나 혼자 덩그러니 남게 되는 꿈이었다.

남자는 등을 돌린 채, 아마도, 사포로 그릇의 굽을 문지르고 있었다. 사각사각사각 소리 끝에 후 입김 부는 소리가 들렸다. 선반의 스탠드 조명만 밝혀놓아 남자가 있는 구역만 밝고 환했다. 스포트라이트가 무대 위 의자에 앉은 남자를 따듯하게 비춰주고 있는 것 같았다.

기척을 느꼈는지 남자가 동작을 멈추고 뒤돌아보았다.

- 자는 게 나을 것 같아서 안 깨웠어요.

이내가 내려 창밖이 푸르스름하게 흐렸다.

세상에나. 아무리 그래도 그렇지.

그러니까 나는 이날 처음 본 남자 앞에서 한 번은 토악질로 혼절하고, 한 번은 업어 가도 모를 수마(睡魔)에 들었다는 얘기였다.

남자가 스위치를 올리자 숙소 겸 사랑채 용도라는 실내가 드러났다.

낮에, 남자가 이 공간으로 안내하기 전에 들른 공방은 창고처럼 지어진 옆 건물이었다. 작업에 필요한 흙과 자재들, 세 벽면에 즐비한 그릇 선반, 소품용 전기 가마가 그 건물에 있었다. 장작 가마는 뒷마당에 별도로 쌓고 지붕을 이었는데, 한쪽에 잘 마른 땔나무들을 보기 좋게 쌓아둔 솜씨며 주변 정리에 들인 손길들에서 남자의 이면의 칼칼함이 읽혔다. 남자가 나의 허술함에서 나의 저간을 읽었겠듯이.

하필 그 순간에 첫 대면 회식에서 방이 했던 말이 생각났다.

- 사람이 대본입니다. 내가 상대를 읽고 상대가 나를 읽는 겁니다. 남독도 오독도 다 위험해요. 헛짓거리죠. 좋은 연극이 대본을 읽는 것을 넘어 이해하는 것이어야 하듯이, 좋은 관계도 사람이라는 대본을 읽고 잘 이해할 수 있어야 하는 것이죠.

그때는 연출가다운 술자리 토크라고 생각했었다.

지나고 보니 토크가 아니라 허세일 뿐이건만. 내 마음을 흔들었던, 싱긋 웃던 그 웃음까지도 연출된 가면이었을까.

남자가 주방에 가서 달그락거리는 동안, 나는 꺼두었던 휴대전화기의 전원을 다시 켰다.

그새 부재중 전화 일곱 통과 문자메시지 여섯 통이 당도해 있었다. 발신자가 다 달랐다. 전화는 솔과 윤이 각 한 건씩, 모르는 전화번호로 두 건, 황보가 나머지 세 건. 가스요금 고지와 인터넷 쇼핑 배송 알림을 제외한 네 통의 문자메시지 중 한 통은 황보, 다른 세 통은 예의 지긋지긋하게 친절한 스토커 윤이 보낸 것이었다.

아미치겠네누나 어떻게된거예요 폰도꺼놓고 어쨌거나전화주쇼 사람풀어좀알아봤어 신부가동아줄이더라 능력과재력겸비한비혼주의자였대 미스터리하지?

쪽팔릴것없어 연애가다그렇지뭐

용두사미아니면막장

남자가 소파 맞은편 통나무 의자에 와서 앉았다. 탁자에 내려놓은 나무 쟁반에는 죽 그릇과 나물 보시기, 나무로 깎은 수저 한 벌이 정갈했다.

- 속이 좋잖을 땐 죽이 낫죠. 끓일 만한 게 현미죽밖에 없더라고요.

죽이든 밥이든 내게 손수 차린 상을 내준 남자는 그쪽이 처음이세요, 라는 말이 튀어나올 뻔했다. 퍼뜩 정신을 차렸다.

- 생면부지 외지사람인데, 살려주고 재워주고 먹을 것까지 주시고…… 결례가 이만저만이 아니네요.

- 전생에 제가 앞엣분한테 대역죄를 지었던가 봅니다.

남자가 웃지도 않고 농을 했다.

- 그렇게 말씀해주셔서 더 부끄럽네요. 저도 전생의 죄를

갔느라 이생이 팍팍한 모양이라고 한 입버릇 해왔거든요.

- 네 시엔가, 사정을 알려주려고 도가에 내려가 봤더니 그새 철수하고 없더라고요. 별일은 없겠지요?

이게 별일이죠. 물론, 죽 한 술로 이 말도 뱃속으로 쑥 밀어 넣었다.

아닌 게 아니라 황보가 전화로 문자로 동동거린 내막이 대강 짐작이 갔다. 꼽사리가 온다 간다 말없이 자리를 뜬 데다, 전화 연결도 되지 않는다? 팽 감독은 황보한테 고지하는 것으로 책임을 다했을 테고, 황보는 날 딸려 보낸 책임이 남아 씩씩거렸을 테고.

- 먼저 갔다고 생각했을 거예요. 어차피 도토리였는데요 뭐.

- 그럼 그 양반들이 개밥?

- 저의 정신승리법이죠. 기죽지 않고, 쫄지 않고, 쪽팔리지 않으려고요.

나는 얼른 죽 그릇으로 고개를 숙였다. 쪽팔리지 않으려고요, 하는 대목에서 쪽팔릴 것 없다는 윤의 문자가 떠오르면서 울컥 눈물이 나려고 해서였다. 두 번이나 무방비로 나를 노출한 남자 앞에서 또다시 눈물바람하는 꼴까지 보일 수는 없었다.

*

현미죽 한 그릇을 말끔히 비우고, 산부인과 처방전대로 약국에서 받아온 약을 먹기 위해 물을 따른다. 닷새 전 그 남자가 준 머그잔에다.

주인을 닮았네.

머그잔은 묵직하고 바닥이 깊다.

그날 남자는 고속버스터미널까지 나를 데려다주었다. 나를 트럭 조수석에 앉히고 안전벨트 매는 걸 지켜보고 나서 찬통 하나와 머그잔 하나를 내 무릎에 올려주었다.

- 이 감, 보기보다 아주 달아요. 여러 날 두면 초가 되니까 내일 넘기지 말고 맛봐요.

굽다리와 손잡이가 투박한 옖은 청잣빛 머그잔에는 작은 야생화 꽃다발이 소복이 꽂혀 있었다.

- 닭의장풀이네요.

- 달개비꽃입니다. 이쪽 사람들은 그렇게 불러요. 꽃이 반달 모양이어서 내 멋대로 파란반달꽃이라고 부르기도 하죠.

- 제가 도감으로, 뭐든 글자로 배워서 그래요. 달개비

꽃……이 훨씬 예쁘네요.

- 지금처럼 빛이 없으면 꽃잎이 닫혀요. 도착하시는 대로 물을 채워 밝은 창가에 두면 하루 이틀쯤 더 꽃을 볼 수 있을 겁니다. 요맘때가 거의 끝물이지요.

- 달개비꽃을 특별히 좋아하시나 봐요. 공방의 시그니처인 것 같던데.

- 어쩌다 보니 그렇게 됐습니다. 좋아하는 게 잘 안 바뀌더라고요.

- 귀한 걸 받아서 어쩌죠?

남자는 웃을 듯 말 듯하더니 안전벨트를 매고서 트럭의 시동을 걸었다.

방이라면 의기양양해서 화사하게 웃을 텐데, 하는 생각을 하고 말았다.

고속버스에 올라타서 좌석을 찾아 앉는 것까지 지켜본 다음에야 남자가 돌아서는 모습을 보았을 때에도, 나는 방을 생각하고 말았다.

대부분의 승객들이 잠을 청할 때 홀로 창밖 까만 밤하늘에 나타났다 사라졌다 하는 반달을 찾아보면서도, 나는 방을 생각하고 말았다.

솔이밥먹여들여보냈다능

기대하지마 위로안할거야 자기연애질땜에배아픈거다나아서깨춤출판덩실덩실

뛰어봤자벼룩이겠으나암튼머리카락안뵈게꼭꼭숨어서잘쉬다와

어디서든잘자고

술고프면언제든전화하고

포기를 모르는 윤이 끈질기게 보내오는 문자메시지를 확인하면서도, 나는 방과의 마지막 시간을 복기했다.

그러자 퍼즐이 맞춰졌다. 맞추고 보니 조짐이 없지는 않았다.

윤이 캡처한 기사를 보내주던 날, 저 남쪽 낯선 곳에서 낯선 남자의 조건 없는 호의를 받던 날, 그날로부터 딱 사흘 전에 방을 만났었다. 마지막 잠적이 있은 지 한 달 하고 열흘을 더 채우고, 팔다리에 멍이 든 채 깨어났던 날에서 보름이 더 지난 때였다.

그때도 방은 일신상의 중차대한 계획에 관한 그 어떤 언질도 주지 않았다. 종잡을 수 없는 평소의 행보대로 다짜고짜 집으로 와서 나를 앉혀놓고 환히 웃었다.

늘 그런 식이었다. 내 쪽에서 애틋해하는 기미가 읽히면 그 자신이 숨고, 그러거나 말거나 그를 내버려두면 짠, 제 발로 나타나 싱긋 웃었다. 이를 드러내고 웃는 그의 모습이 장난스러우면서도 깨끗해서 흡족한 선물을 받은 것처럼 내 마음이 흔연해진다는 사실을, 방은 잘 알고 있었다.

그 마지막 날, 방은 새로 올릴 무대의 동선을 그림까지 그려가며 설명해주고, 평론가 아무개가 자신의 희곡과 연출에 대해 코멘트한 기사를 언급하고, 질풍노도의 시기를 통과하는 남자아이 다루는 법을 조언해주었다.

사흘 뒤에 세상 사람들이 알게 될 자신의 결혼식에 대해서만 함구했을 뿐, 그날의 모든 행동이 물 흐르듯 자연스러웠다. 적어도 그때의 나는 그렇게 느꼈다. 그렇게 느끼지 않을 이유가 없었다.

- 당신은 세상에서 가장 두려운 게 뭐야?

다만, 그가 나를 품에 안은 채 불쑥 그렇게 물었을 때 결이 약간 다르다는 느낌을 받았던 것만 빼면.

글쎄, 두려운 게 뭘까. 솔이한테 무슨 나쁜 일이 생기는 게 가장 두려운 일일 거라고 속으로 생각하는 사이, 그가 앞질러 말했다.

- 난 세상에서 제일 무서운 게 가난이야. 감옥에서 느낀 구속감보다, 지갑이 비었을 때 느끼는 압박감이 더 겁나더라고.

의아해했던가, 낯설어했던가.

나의 시선이 부담스러웠는지 그가 금세 말갛게 웃었다. 그러자 의아함도 낯섦도 내 머릿속에서 말갛게 지워졌다.

방의 그 고백의 여운이 앙금으로 남아 있었기 때문일까, 결국 나는 꼭 해야 할 고백을 하지 못한 채 그를 보냈다.

아주 보냈다.

그리고 오늘…… 예기치 않게 나를 찾아온 나의 작은 반달을, 안녕, 인사도 하지 못하고 보냈다.

아주 보냈다.

머그잔과 약봉지를 들고 책상으로 자리를 옮긴다. 항생제와 진통 소염제를 한 알씩 털어 넣고 물을 한 모금씩 마신다.

이제 의례처럼 식물도감을 펼친다. 부러 찾지 않아도 찾는 페이지가 저절로 찾아진다.

나는 두 손바닥으로 빈 머그잔의 돋을새김을 감싸고서 책갈피 속 압화(押花)를 가만가만 들여다본다.

그 안에서, 쪽빛 닭의장풀은 아무도 모르게 제 몸의 물기를 말리고 있다. 파란 반달을 얇디얇게 저민 것 같은 파란반달꽃 두 잎이, 아무도 모르게 살빛 투명하게 말라가고 있다.

세상 저 밖에서는 아무도 모르는 물기가, 아무도 모르게, 투명하게 말라가고 있다.

화요일의 낙법(落法)

어떻거나, 날이 밝았다.

하나, 둘, 셋…….

종희의 아침은 어제와 다르지 않다. 눈을 뜬 곳이, 주방 겸 거실을 3분의 1씩이나 점유하고도 팔다리 한껏 펼치기 옹색한 싱글사이즈 매트리스인 사실이 변함없고. 천장 가까이 바짝 올려붙여 달아낸 채광창으로 각인각색, 지상의 발걸음들이 기상 알람처럼 맹렬히 들이치는 것이, 이제는 뭐, 익숙하고.

종희 자신도 어제와 다를 바 없다. 일곱, 여덟, 아홉……을 카운트하는 동안 겨우 입술을 달싹이다가 막판에 짧고 굵게 '열!'을 외치며 등을 발딱 세웠다. 나름 파이팅인 셈이다.

아자아자, 오늘도 딱 어제 같게만!

물론 그 어제가 실기(失機)한 생을 만회할 만큼 찬란했을 리 만무하건만, 그럼에도 끝없이 늘어선 허들 하나를 무사히 제쳤다는 안도감이 어딘가.

원, 투, 쓰리……로 구령하건 이찌, 니, 싼……이나 이, 얼, 싼……으로 구령하건 그거야 그날그날, 무작위의 변덕일 뿐이다.

종희는 팬티바람인 채 양손을 옆구리에 얹었다. 두툼한 목을 좌우로 다섯 번씩 돌리고, 방향을 바꿔가며 허리를 다섯 바퀴씩 돌렸다. 도수체조는 생략한다.

밤새 줄메치기라도 당한 듯 여기저기가 찌뿌드드하다. 이틀 내리, 발등에 금이 갔다는 동네후배의 배달구역을 반으로 쪼개 생수 박스를 대신 져 나른 후유증이다. 곧지도 약빠르지도 못한 맹추가 하필 골목 많고 계단뿐인 일반주택가를 배정받은 탓이다. 예전 같으면 펄펄 날았을 물량인데, 서류봉투나 부피 작은 시제품 따위를 날라다 주는 퀵으로 업종을 갈아탄 지 여러 해째라 놀놀해진 근육이 간사하게 굴었다.

하는 둥 마는 둥 스트레칭을 마친 그는 아직 살짝 흐리

멍덩한 상태로 하나뿐인 방으로 건너갔다. 차단율 50퍼센트라는 암막 천을 투과한 빛이 인색하게 번져, 방 안은 격벽 너머의 밀실처럼 어둠침침하다.

"일어나요, 형."

익수 형의 어깨를 가볍게 흔들고, 되돌아 나오며 목까지 잠긴 반지하방을 환히 밝히고, 보일러 온도조절기를 난방에서 온수로 돌리고, 거실로 나와 화장실을 다녀오고, 보리차를 컵에 가득 따라 단숨에 들이켜고, 미리 냄비에 눌려둔 누룽지에 수돗물을 받아 가스 불에 올리기까지, 종희는 동선을 바꾸지 않았다.

여느 화요일 아침과 굳이 다른 점이 있다면, 지난밤 목욕을 미룬 익수 형을 씻겨야 해서 각 과정마다 조금씩 서둘렀다는 정도다.

일주일에 세 차례, 그가 익수 형을 신장투석센터까지 태워다주고 오후에 실어오는 일을 맡은 건 재작년 겨울께부터다. 생업을 앞뒤로 잘라먹을 수밖에 없었으나, 그는 처음부터 당연한 일로 여겼다.

주머니사정이 아니더라도 집에서 그놈의 센터까지는 택시를 타기에도 거리가 애매했다. 성치 않은 몸으로 걷자면 하세월이었다. 도중에 가파른 오르막과 내리막이 있고, 겨울에는 쌓인 눈과 음식물쓰레기봉지에서 흘러나온 구정물이 얼었다 녹았다 도로 얼곤 하여 노면이 구저분하고 울퉁불퉁하고 미끄러웠다. 그즈음 익수 형은 스물네댓 걸음마다 멈춰 서서 서너 숨을 크게 몰아쉴 만큼 나빠지고 있었다.

두 사람의 한집살이는 재재작년으로 거슬러 올라간다. 만 3년 남짓, 햇수로는 4년 차다. 밥벌이를 팽개칠 수 없으니 아침 시간에 쫓기지 않기 위해 투석 전날 밤 비누칠을 해서 익수 형의 몸을 닦아주는데, 그건 좀 더 근자에 와서 종희가 자청한 일이다. 익수 형은 욕실 의자에 앉아 요령껏 팔을 들거나 다리를 벌리는 동작조차 갈수록 버거워하더니 간밤에는 기어이 고개를 저었다.

- 오 오 오늘은 안 되겠어. 아 아침에, 내 내앨 아침에…….

빠진 앞니 탓인지, 가래 탓인지, 발음마저 쉭쉭 샜다.

누룽지가 끓어오르는지 냄비뚜껑이 들썩인다.

종희는 가스 불을 끄고, 간하지 않은 나물 두어 가지로 뚝딱 상을 차렸다. 이쯤에 익수 형이 부스스한 얼굴을 내보여야 하는데 방안에서는 여직 기척이 없다.

"혀엉! 일어나요. 씻어야 돼."

그는 식탁 앞에서부터 소리치며 방으로 건너갔다. 아까보다는 좀 더 세게 익수 형을 흔들었다. 손아귀에 잡힌 어깻죽지가 까닭 없이 이물스러워 저도 모르게 움찔, 했다. 등줄기를 훑는 선득함은, 애써 무시했다.

"하 참, 이러다 늦는다니까."

그 스스로도 알아챌 정도로 목소리가 떨렸다.

"일어나요, 형."

그가 이불 밖으로 나와 있는 익수 형의 손을 잡았다. 희미한 온기가, 자신의 것인지 익수 형의 것인지 헷갈린다.

"제발요, 혀엉……."

그의 목소리가 점점 작아져 갔다.

마침내 그 자신의 귀에도 들리지 않았다.

*

꿈인가, 꿈 밖인가.

꿈속의 자신을 바라보는 꿈 밖의 자신이 보인다. 어쩌면 그 반대일지도 모르겠다.

그러니까, 꿈 밖의 자신을 꿈속의 자신이 바라보고 있는 것일지도. 이를테면, 자각몽(自覺夢)이란 것일지도.

아무려면 어떠랴마는, 이제 와서 이따위 소싯적 꿈이라니. 추락하는 꿈이라니.

당치 않다는 생각을 하면서도, 익수는 반사적으로 두 팔을 펼쳤다. 일생의 습(習)대로 부지런히 날갯짓을 해보았으나 중력을 저지하는 데 효과가 있는 것 같지는 않다. 사위는 축축하고, 어둡고, 날개는 점점 무거워지고 있다. 머리끝부터 발끝까지 덮어쓴 미끄덩하고 질척거리는 점액질은 다행히, 분뇨가 아닌 진땀이다.

와중에도 안심이 된다.

여느 아이들처럼, 어린 시절에 그는 똥통에 빠져 허우적대는 꿈을 자주 꿨다. 아득히 아래로 저 아래로 떨어지는데도 끝끝내 바닥에 닿지 못한 채 온몸을 짓뭉개는 솜이불을 쳐내면서 파들짝 잠에서 깨곤 했다.

- 키 크려는 거야.

어른들은 모두 거짓말쟁이들이었다.

그의 키는 학창시절 또래 평균치 근처에도 다가가 본 적이 없었다. 볼품없는 중년을 넘어서고 더 볼품없는 노년에 들어서기까지, 단 몇 해라도 삶의 평균값을 마련해본 적이 없었다.

그는 자타 공히 '불운의 아이콘'이었다. 집도 절도 없이, 돈도 일자리도 없이, 애인도 자식도 없이, 부랑의 삶을 살았다. 또 그럼에도, 일평생 포부와 도모를 포기하지 않았다. 포기할 수 없었다. 꿈은 꿈일 뿐이라는 걸 완전히 받아들이는 데 깨어 있는 시간 대부분을 소진했다. 탕진했다.

하늘이 끝내 무심하였더라는 원망의 방식을 빌려서야 마지못해 항복을 선언할 때쯤에는, 함부로 굴려온 몸뚱어리가 무너졌다.

억장이 무너졌다.

당연한 귀결이었다.

영락에 영락을 거듭한 존재.

그 한마디로 그를 규정한 건 셋째 동생, 정수다. 안타까움을 빙자한 손가락질. 익수는 그렇게 의심했다.

그가 건강상의 이유로, 엄밀히 말해 부실을 핑계로 대학을 자퇴했을 때, 이미 몇 차례 아들의 실패와 실패에 버금가는 요동을 겪은 어머니로서는 또다시 당신의 설계를 수정하는 수밖에 없었다. 몇 차례 모호쩍은 재검 끝에 입대 또한 면제받은 그가 20대 중반 어정쩡한 나이에 집으로 돌아오던 그해는, 막 여고를 졸업한 정수가 진학을 위해 서울로 떠나던 해이기도 했다.

성별이 다르고 터울이 제법 져 시간적으로나 공간적으로나 늘 어긋났던 터, 추억의 겹침이랄 것 없이 데면데면한 남매간이었다. 그 후로도 10년에 한두 번 볼까 말까 했으니 지난 40여 년 간 통틀어 예닐곱 번쯤 얼굴을 보았을까 말까. 대체로 셋째 동생을 비롯한 다른 동생들의 결혼식, 어머니의 장례식, 껑충 건너뛰어 손위 누이의 딸아이 결혼식 같은 집안 경조사 때였다. 피차 시계(視界)에 들어와 있었달 뿐 의례적인 안부 몇 마디를 마치고 나면 더 이을 말이 궁했다. 서로의 입성이나 안색, 주름살 같은 것으로 미루어 떨칠 수 없는 세월의 흔적과 생활의 형세를 어림해 보는 관계에 불과했다.

그 애와 관련해 딱 하나 선명하게 떠오르는 장면이 있긴 하다. 왜 하필 그 장면인지는 모르겠다. 그 애가 덜 삭은 생멸치젓을 밥숟가락에 걸쳐 볼이 미어지게 입으로 가져가던 모습이니 식사 중이었을 테고, 당시 그는 시내 하숙집에서 중학교를 다닐 때라 식구들과의 겸상이 드물었으니, 아마도 주말 어느 날이지 않았을까.

어린것이 젓맛을 안다며 대견해하는 할머니의 추임새에

고무되어 그 애는 다른 반찬은 거들떠보지 않고서 오직 짜디짠 젓멸치만을 공략하고 있었다. 그 꼴이 거슬렸던 그는 줄어들지 않는 제 밥그릇을 노려보며 속으로 이죽거렸다.

별 걸 다 잘하려고. 너도 참 애쓴다.

그의 생각이 들리기라도 한 듯 그 애가 밥숟가락을 쳐든 채 쓰윽 돌아다보았다. 그제야 그가 거기 있다는 사실을 알아챘다는 표정이었다. 의아해하면서도 무심한 눈빛이었다. 그러자 그의 입에서 불쑥, 밥알 섞인 말이 튀어 나갔다.

- 재 재 재수 없어.

그날 무엇이 그의 기분을 상하게 했는지는 기억에 없다. 아마도, 어머니의 기대에 못 미치는 성적표를 받아들고 귀가한 때문이거나, 바로 그 때문에 그날따라 장자 우대 가풍에 따라 할머니와 따로 받곤 하던 겸상 대신 나머지 식구들과 두레상을 받았기 때문이거나.

날개를 접지 못한 자.

여남은 해 전인가. 그 정수가 '영락에 영락을 거듭한 존재'에 이어 '날개를 접지 못한 자'로 자신을 명명하더란 말을 막내 혜수로부터 또 전해 들었다. 불안불안하던 건강마

저 악화돼 하루 이틀 건너씩 혈액투석을 받기 시작할 무렵이었다.

그는, 괘씸하다기보다 어안이 벙벙했다. 성인이 된 그 애의 얼굴이 도무지 떠오르지 않았던 것이다. 집안 혼사 때 한두 번, 그것도 멀찍이 떨어져 앉아 각자 뷔페 접시에 코를 박았던 것 외엔 따로 밥 한 끼, 차 한 잔 오붓이 나눌 기회가 없었기도 했다. 나란히 박은 사진 한 장 남아 있지 않았고, 남아 있다 한들 사진첩 등속을 갈무리하며 살아올 만큼 찬찬한 삶이 못 되었다. 길에서 마주친들 서로 알아보지 못하고 지나쳐도 하나도 이상하지 않을 만큼 긴 세월, 적조했다. 그만하면 남보다 더 남이 아닌가.

도대체 지가 나를 얼마나 봤다고. 날 얼마나 안다고.

발끈하기는 했지만 틀린 진단이 아니었다. 익수 자신도 너무나 잘 알고 있었다. 그래서 더 아팠다.

말[言]못도 못이었다.

*

집의 구조상, 환기에 신경을 쓴다고는 해도 애초에 불감당이다. 나이 들고 병든 남자에게서 나는 체취인지, 사랑

받아보지 못한 자에게서 나는 고독의 냄새인지, 옹관에 고인 물처럼 미처 빠져나가지 못한 퀴퀴한 공기가 방의 고유한 표식처럼 떠돈다.

익수 형은 천장을 향해 반듯이 누워 있었다. 두 손은 가슴팍에 얌전히 놓였는데, 그렇다면 모든 것이 순연히 종료되었다는 뜻이다. 이 저항 없는 종결을 다행이라고 해야 하나.

종희는 의료용 철제 침대를 등지고 주저앉았다. 이제부터 해야 할 일들을 생각하기 시작했으나, 실제로는 아무런 생각도 떠오르지 않는다. 방문이 열려 있어 대접과 접시 따위가 널린 식탁, 그 너머로 냉장고와 일자형 싱크대 일부, 그리고 가스레인지와 기름때 찐득하게 들러붙은 타일 벽이 한꺼번에 망막에 들어찼으나, 실상 그는 아무것도 보고 있지 않았다.

살면서 종종 그런 때가 있었다.

급성장염으로 반차를 내고 귀가했다가 두 남녀가 벌거벗은 채 엉켜 있는 안방 문을 열고 말았던, 제 실수인 양 황망히 문을 닫고 그 자리를 뜨고 말았던 날이 그랬다.

근무지로 쳐들어온 사설 추심업자가 욕설 섞은 반말로 구경도 못한 돈을 게우라며 윽박지르는 통에 불러주는 대로 새 각서를 쓰고 지장을 찍었던 날이 그랬고.

열쇠수리공을 불러 주민등록증을 확인시켜주고 비밀번호가 바뀐 현관문을 따게 하는 대신, 계단에 쪼그리고 앉아 안에서 혹은 밖에서 드나들 누군가를 망연자실하게 기다렸던 어느 날이 그랬고.

자해가 가해로 둔갑해- 자승자박이라고 해야 할지, 전국체전 유도 남자고등부 입상 경력이 그의 결백 주장을 깔끔하게 메다꽂았다- 졸지에 가정폭력범으로 이혼성립 판결을 받고도, 5분 만에 완벽히 남이 된 여자를 환승역까지 태워다주었던 또 다른 어느 날이 그랬다.

돌이켜보면 타인의 적의보다 제 무능과 무기력이 자신을 위험에 빠뜨리게 한 날이 더 많았다.

억장이 무너질 때마다 그는 무감각해져 갔다. 무뎌져감이 아닌, 일시적 마비 상태의 반복이 불러온 감각의 화석화였다. 도로 가의 모든 지형지물이나 사방에 널린 알록달록한 사물들이 구둣발로 콱 짓밟은 우유갑처럼 납작해지면서 오로지 흑과 백으로 환치돼버리면, 그는 이차원적으로 단순화한 그 공간이 원래의 입체감과 도색을 되찾을 때까지 겨우 숨만 몰아쉴 수밖에 없었다.

최면술사가 '레드썬'을 외치기라도 한 듯 불현듯 정신을 차려 보면, 시곗바늘은 겨우 한 뼘 정도 이동했거나 거의 제자리에 머물러 있었다. 그 영원한 찰나의 빈번한 내습은 그의 자존감과 회복탄력성을 바닥까지 끌어내렸다. 전처와 전처의 가족과 그의 가족 모두가 내린 결론은 동일했고, 옳았다.

그는 아무짝에도 쓸모없는 인간이었다. 그 자신도 그렇게 믿었다.

이봐, 종희…….

종희는 화들짝 몸을 돌렸다. 여간 주의하지 않으면 꺼져버릴 듯 작은 소리였으나 분명 익수 형이었다. 익수 형이 손끝으로 자신의 러닝셔츠를 살짝 잡아당긴 것도 같았다.

익수 형은 그러나 반듯이 누운 채 미동도 하지 않는다. 지병과 합병증과 투석으로 검누렇게 변한 얼굴이 평온무사까지는 아니어도, 적어도 일그러져 있지는 않다.

- 조 조옹 희.

지난밤 종희가 익수 형을 부축해 침대에 앉히고 돌아서려던 때였다. 그때도 익수 형의 목소리는 들릴락 말락 까부라졌다.

- 뭐 필요한 거 있어요?

그게 아니라고, 익수 형이 손을 저었다. 그조차 힘에 부치는지 근근 시늉이었다.

- 왜요, 어디 불편해요?

종희는 자신의 질문이 틀려먹었다는 걸 알면서도 그렇게 물었다.

익수 형은 이미 멀쩡하지 않았다. 속수무책이었다. 해가 바뀌기 전까지만 해도 익수 형은 이따금 겸연쩍은 듯 “내 복에 어림없지”라는 전제를 깔면서도 신장이식 순번을 고대하는 눈치였으나 그것도 설 명절을 기점으로 의지도 기력도 급전직하, 쏙 들어가 버렸다. 더군다나 코로나 바이러슨지 뭔지가 기승을 부리는 시국이었다. 보름 전처럼 응급실을 찾아 헤맬 일부터 없어야 했다.

- 그 그 그게 아니고…….

익수 형이 쥐어짜듯 입을 벙긋벙긋했다.

- 미 미…….

종희는 최근 들어 부쩍 잦아진 사례의 말인 줄 지레짐작하여 잽싸게 손사래를 쳤다.

- 아이고 또 그런다, 형님. 미안하긴 뭘 미안해.

- 가 가 가만 드 드 들어 봐.

종희는 가만 귀를 대주면서도 내일 아침엔 좀 바삐 움직여야 할 텐데, 생각했다.

- 내 내가 마 마안이, 미 미 아안 하고, 저 저어 엉 말, 고 고 고마 워었 어.

- 그런 말 마시라니까. 저야말로 형님한테 고마운 게 많습니다. 그럼요.

그랬다. 정말 그랬다.

종희의 주변인들은 처음부터 두 사람의 합가를 곱게 보지 않았다. 특히 익수 형에게 제수씨가 되는 그의 누나는 시아주버니가 눈앞에서 가슴팍에다 고개를 파묻고 있는데도 동생의 등짝을 후려치며 거친 타박을 주저하지 않았다.

- 썩을! 등신쪼다들끼리 가지가지 한다. 지 앞가림도 못해 여편네한테 쫓겨난 쪼다새끼 주제에 장가도 못 든 늙다리 사돈이랑, 뭐? 살림을 차리겠다고? 야, 이참에 커밍아웃을 하지 그러냐, 응?

누나에게 '등신'은 시아주버니를, '쪼다새끼'는 친동생을 가리키는 상용 대명사였다.

그런 누나의 남편이자, 익수 형의 아우이자, 종희의 매형 되는 찬수는 종희만 볼 수 있도록 손가락을 입술에 붙였다 뗐다 하며 눈을 끔벅였다. 처남더러 못 들은 척하라는 신호를 보낸 셈인데, 제발 덕분 둘이 합쳐서라도 짐을 덜었으면 하는 계산속이 아니고서야. 찜질방과 피시방과 만화카페를 전전하는 형을 챙기자니 현실이 어긋나고, 나 몰라라 하기에는 주위의 눈들이 꺼림칙한 모양이었다.

찬수보다 두 살 연상인 종희의 누나 종달은 경제적 이득을 인간관계의 최종목표로 삼고 있는 자본 숭배자다. 부부는 동기는 달라도 종착지는 늘 같았으므로 예측과는 달리 앙앙불락하면서도 최소한의 팀워크를 유지하며 롱런하고 있었다.

오다가다 들여다보는 타인들도 오지랖을 깔았다. 초심이 흔들려 부실한 돌봄서비스로 가끔 민원 대상이 되기도 하는 담당 사회복지사나, 하다못해 찬수를 제외한 익수 형의 다른 혈육들조차 혹시나 생명보험사기 같은 불미한 암계가 있는 건 아닐까라고 색안경을 꼈다.

일방적이고 상투적이고 그래서 무례하기 짝이 없는 그들의 관점은 불신 만연한 사회적 편견을 깔고 있긴 했으나, 한편으론 구구절절이 타당한 우려들이었다.

익수 형은 혼인 전력이 없는 말기 신부전환자인데다 오래도록 수입이 전무한 금치산자였다. 종희로 말할 것 같으면, 가정파탄의 유책배우자로 '돌싱남'이 된 후 지방 공사

판과 물류 상하차를 전전하다가, 못난 놈들끼리 의지가지나 되어주자는 말이 나올 그즈음에는 다마스 퀵서비스와 대리운전을 뛰던 참이었다. 마이너스(-) 플러스(+) 마이너스(-)의 수리적 긍정 합은, 현실에서는 플러스가 아니라 마이너스에 마이너스를 덧댄 수직 갱도였다.

그러거나 말거나, 종희는 개의치 않았다. 주구장창 덩칫값 못 한다는 말만 들어왔던 그가 생애 처음으로 격하게 저항하여 밀어붙인 역사적 결정이 전처와의 결혼이었던 바, 생애 두 번째 외통수 짓이 하필 또 익수 형과의 한 집 살림이라는 것이 별로 멋쩍지도 않았다. 소심하면서도 눈치코치 없는 성격이 약이 됐다. 주위 사람들이 의혹하듯 제 주제를 망각한 동정심으로 동거를 결정하지 않았다.

그 또한 익수 형이 필요했다. 구체적인 삶의 형태를 갖추고 싶었다. 아무런 해악을 행사할 수 없을 정도로 쇠약한 익수 형을 바라보고 있으면 종희는 커다란 느티나무 그늘 속에 놓인 벤치를 바라보는 것처럼 평화로워졌다.

그는 벤치가 되고 싶은 것이지, 벤치에 앉고 싶은 것이 아니었다.

*

열쇠구멍으로 방 안을 훔쳐보듯, 익수는 자신의 꿈을 들여다본다.

저 안쪽에서는 놀라운 일이 벌어지고 있다. 소년 시절의 첫 공중부양 이래 단 하루도 접어보지 못한 날개가 보이지 않는다. 밋밋한 작대기처럼 볼품없는 육체가 원래 자신의 모습이라는 사실이 실망스럽다.

마른 몸뚱이는 마치 수천 미터 상공의 비행기 화물칸에서 풀려나온 나사못처럼 팽그르르 회전하며 맹렬히 직하하는 중이다. 지구의 밑창이라도 뚫고 들어갈 기세인데, 문득, 지상에 발이 닿기도 전에 원심력을 이기지 못한 육체가 갈가리 찢겨 먼지처럼 흩어져버릴지도 모른다는 생각이 스쳤다.

꿈속에서 어쩌면 꿈 밖에서, 그는 전율했다. 공포와 흥분과 안도가 맞물린 그 아찔한 감각은 사정(射精) 직전의 쾌감과 닮은 데가 있다. 그 장엄한 돌격의 종착은 수치와 권태와 착오를 덮어줄 망각일 테다.

그는, 그곳에 도달하고 싶었다.

그에게 날개란 최초의, 그리고 최후의 보루였다. 모든 것, 존재의 비기(祕技)이자 존재 그 자체였다. 날개가 그에 속한 돌연변이 기관이 아니라, 그가 날개에 의탁한 처지였다. 남들에겐 오르지 못할 저 높은 곳을 열망하는 자의 망상으로 비쳐졌지만, 그에게는 하강의 가속을 줄여줄 최소한의 안전장치였다. 비록 '영락에 영락을 거듭'하면서도, 그러니까 상승은커녕 수십 년째 만성적 하향을 면치 못하면서도 알량한 날개를 접을 수 없었던 건, 순전히 착지가 두려웠기 때문이었다.

그는 두 발이 땅에 닿는 순간 진눈깨비처럼 사르르 형태도 없이 녹아버릴 것을 예감했다. 아무도 믿어주지 않았지만, 그는 구름 위를 꿈꾼 게 아니었다. 단지 그곳이 좀 더 안전하다고 여겼을 뿐이었다. 모두가 창대한 양명을 점쳤던 아직 젊은 아버지가 급작스레 세상을 뜨고, 곡기를 끊은 할아버지의 초상을 연달아 치른 뒤, 종부(宗婦)의 위신이 오히려 공고해진 과수댁 어머니에게서 아버지를 승계할 것을 명령받았을 때부터였다.

어머니는 이복형을 의식한 듯 엄숙히 선언했다.

- 잊지 마라. 어찌 됐건 네가 장자다. 이 집안은 네게 달렸다.

익수는 이복형뿐만 아니라 그 위로 이복누나가 더 있다는 사실을 아버지의 장례식 날 처음 알았다. 이복형과 이복누나를 낳은 여인도 그때 처음 보았다.

그들 3인은 비열한 호기심과 비우호적인 시선을 아랑곳하지 않는다는 태도로 적지에 들어섰건만, 그 가장된 조심스러움 속에는 훗날의 반전을 기약하는 결기가 숨죽이고 있었다. 살아생전 원천 봉쇄당했던 생부의 세계에 사후에나마, 그것도 자신들의 적들의 우두머리가 내린 은전으로 입성했다는 치욕을 잊지 않으려는 절치부심과, 어떻든 이미 들여놓은 한 발을 헛되이 물리지 않겠다는 전투의지를 눈치 챈 사람은, 아마도, 없었다.

그들 남매와 버림받은 여인은, 길지 않은 생애에 걸쳐 특히 여인들과의 사교가 분망했던 아버지가 남긴 은밀하고도 공공연한 유산이었다. 그들에게 아버지의 임종을 알린 사람도, 장례의 전 과정에 입회케 불러들인 사람도, 소복과 상장(喪章)을 허용해 유가족의 자격을 부여한 사람도 익수의 어머니였다.

누구도 예상치 못한 파격이었다. 호적에 오르지 못한 여인이다, 아닌 말로 걔들이 뉘 소생인지 어찌 알겠느냐, 머리 검은 짐승은 거두는 것 아니라는 옛말이 왜 있겠느냐…… 따위, 초상집 안방의 역사를 가십거리로 만든 집안 어른들의 분분한 입방정을 위엄 있게 무지른 사람도 어머니였다.

- 사실을, 사실로 돌리는 일이에요.

그러자 참척의 고통으로 혼이 들락날락하던 할머니가 적기(適期)에 권좌를 선점한 외며느리에게 맞섰다.

- 어멈 처사를 모르겠다. 너 이전에, 제 발로 혼인 무르고 뛰쳐나가선 아범에게 사냥갤 풀었던 년이다. 그 고래등 같은 친정집 대청에 허리를 꼬고 앉아서, 송아지만 한 셰퍼드를 풀어 저 데리러 간 남편 뜯어놓으라고 휘파람 불었단 년이다.

- 네, 네, 알아요, 들었어요. 열두 밤낮 석고대죄를 한들 용서받을 수 없는 짓인 거, 맞아요. 저도 알아요.

- 봐라, 난 지금도 심장이 벌떡벌떡 나댄다. 아범이 가슴팍이 다 찢겨서, 피칠갑을 하고서…… 그날을 떠올리면…….

할머니는 발딱발딱 튀어 오르는 용수철을 누르듯 앙가슴에 두 손바닥을 대고서 고갯방아를 찧었다. 힘줄과 정맥이 옹글게 돋은 손등에는 눈물 마른 얼룩처럼 저승꽃이 자욱했다. 마흔셋 외아들을 여읜 그해, 할머니는 예순두 살에 불과했다.

- 그럴 테지요, 어머니. 압니다, 어머니.

어머니는 신실한 어조로 할머니를 위무했다. 무엇인가 의심스러운 것을 캐내고 말리라는 듯 며느리의 얼굴을 구석구석 뒤지던 할머니가 호미 같은 눈빛을 거두려는 찰나, 어머니가 아퀴를 지었다.

- 아범은 이제 이 세상 사람이 아닙니다. 이생에서 얽힌 매듭을 풀어줘야 아범의 혼백이 좋이 떠나지 않겠어요? 이 집안 씨를 두 번이나 품은 인연인데, 옷깃 한 번 스치지 않은 양 내몰아선 안 되지요. 어떻든, 어머니 손자에 손녀 아닌가요? 그이가 생전에 세상 억울한 일처럼 과거를 부인했던 건 속아서 이 집안에 든 제게 낯이 안 서서 그랬을 테지요.

온건하면서도 앙심이 깔린 언급이었다.

할머니는 잠깐 움찔하는 듯했으나, 나고 처음 듣는 얘기인 듯 시치미를 뚝 떼며 젖은 눈을 끔벅였다.

어머니가 쐐기를 박았다.

- 저와 제 친정은 그이 첫 혼사 내막을 하나도 몰랐으니까요. 온 문중 사람들이 합심하여 입을 맞춘 덕택에 감쪽같이 속아 넘어갔네요. 이제 와 묵은 일 시시비비 가리자

는 게 아니고요, 사실을, 사실이라고 말하는 거예요.

할머니는 아버지의 첫 혼인을 없던 일로 만들 때 입단속을 지휘했던 장본인이었다. 며느리가 사기결혼을 내놓고 지적하는 대목에서 쓰디쓴 입을 봉할 수밖에 없었다. 혼례를 치렀음에도 혼인신고가 되어 있지 않은 점을 조상의 음덕이라고, 천우신조라고 했다던 할머니였다.

어머니는 더 담대히 나아갔다. 출생신고조차 누락된 저쪽 남매를 자신의 호적에 올렸다. 남편도 죽고 없는 마당에 과부의 자식은 여섯에 둘을 더해 여덟로 늘었다.

- 말 많고 탈 많은 세상을 사생자로 살게 내버려둘 수는 없지요.

법적 강자의 오연한 포용력이었다. 뒷감당을 우려하는, 혹은 우려하는 척했던 일가붙이들은 어머니 앞에서 한 입에서 나온 듯 똑같은 말로 어머니를 칭송했다.

- 여장불세. 간 사람 들먹여 뭣하다만, 전 대위보다 그릇이 곱은 커.

복무 경력이 없는 3대 독자 종손인 아버지는 항공 전문가로 특채되면서 대위 계급장을 달았다. 정전 협정 이후 복구가 시급한 상황에서나 가능한 일이었다.

아버지는 공군사관학교 교관에 위촉됐다가 다시 항공대

학 설립에 관여하면서 전역했으나, 곧 어디로 적을 옮기든 정당한 급여로 도시 대가족의 의식주를 해결하기 힘들다는 현실에 부닥쳤다. 현실주의자이면서 낭만의 기질이 다분했던 아버지의 선택은 자동차부품 공장을 세우는 한편, 사설 항공기연구소를 차리는 것이었다.

전후 특수 바람을 타고 사업체는 잘 굴러갔고, 점점 간판뿐인 연구소가 되어갔을망정 오다가다 들여다보곤 하는 제도용 책상 위의 제트터빈 설계도는 자기애적 허영심을 만족시켰다. 아버지는 '사장'보다 '소장'으로 불리는 것을 영예로 여겼다. 하지만 사장도 소장도 아닌 '대위'를 고집하는 친지들이 있었다. 군사 쿠데타 세력과의 친분이 아니더라도, 장교 계급장이 모종의 가능성으로 비치기도 하던 시절이었다.

- 익수가 전 대위를 닮았지, 아마?

그 말을 듣자마자 익수는 딸꾹질을 했다. 생김은 한눈에도 외탁(外-) 이고, 재능이나 기질로도 수리(數理)에 재간이 있는 것 말고는 닮은 구석이 없다며 도리질하던 생전의 아버지가 떠올랐다.

때맞춘 친탁(親-) 천명은, 왜인지 모를 어머니의 바람이자, 어머니에게 줄을 서기로 작정한 일가붙이들의 알랑거

림이었다. 아버지가 죽기 전 궤도에 올려놓은 사업체의 명실상부한 실세가 어머니인 까닭이었다.

하루아침에 위로 동부(同父) 누이와 형이 생기긴 했으나, 묵시적으로는 익수가 아버지의 모든 공과(功過)를 상속받았다. 겨우 아홉 살짜리에게는 버거운 짐이었다. 천성이 여리고 맺히지 못해 더럭 겁부터 났다. 가장 견딜 수 없는 건 남들이 듣지 않는 데서 이뤄지던 어머니의 선언이었다.

- 누가 뭐래도 네가 아버지의 뒤를 잇게 될 거야.

그렇게 만들고 말 테다, 라는 의미였다.

사람도 짐승도 운명도 상대가 겁쟁이일수록 사나워지는 법이다.

익수는 맨몸으로 운명의 표적물이 되었다. 세상의 모든 눈들이 화살로 변해 자신을 향해 날아오고 있는 것 같았다. 남몰래 오줌을 지리고, 남몰래 헛것을 보고, 총명을 기대하는 사람들 앞에서는 진땀이 버쩍버쩍 났다. 급기야 말을 더듬었다.

사방에서 날아드는 살촉으로부터 벗어나려면 땅으로 꺼지거나, 하늘로 솟아오르는 수밖에 없었다.

익수는 조심스럽게 발을 굴려보았다. 턱을 내밀고 가슴

을 활짝 펴보았다. 숨을 들이쉬고 숨을 가둬보았다.

아아.

혈관이 팽창하고, 근육이 가벼워지고, 날개가 펼쳐졌다. 저절로 두 발이 공중에 떴다. 팔다리에 치렁치렁 매달려 있던 모래주머니들이 하나씩 툭툭 끊어지는 것 같았다.

세상에.

그 가벼움이 좋았다.

황홀했다.

그는 한 뼘씩, 한 단씩, 한 길씩, 점점 더 높이 날아올랐다.

고개를 숙이자 저 아래 숨을 곳 없던 지상이 내려다보였다. 아버지가 손수 식재한 관상용 교목들이 빼곡한 정원 한가운데서 회양목처럼 작고 다부진 어머니가 손을 흔들었다. 어머니의 손에는 얼레가 들려 있었다.

그는 바람에 밀린 연처럼 공중에서 부르르 몸을 떨었다.

그는 제 힘으로 날아오른 것이 아니라는 사실을, 제 뜻대로 내려갈 수 없다는 사실을, 어머니를 이길 수 없다는 사실을 깨달았다.

그의 부력의 원천은 어머니였다.

익수는 어머니를 사랑했고- 그렇게 믿었고- 어머니도 그를 사랑했지만- 믿어 의심치 않았지만- 자신을 그르친

건 너무 일찍 세상을 떠버린 아버지가 아니라, 사랑 깊은 어머니였다.

그 사실을, 익수는 첫 번째 비행 이후 한시도 잊지 않았다.

*

"형님이…… 가셨어요."

"어딜?"

"아니, 가셨다고."

"가…… 어? 그게 왜, 갑자기……?"

찬수답다. 요령부득인 데다가, 오늘내일의 일일 수도 있는 저간의 경과를 깡그리 무시한 반문. 동거인을 탓하는 말로도 들리는.

"요 며칠 좀, 많이, 힘들어했어요."

이 말에는 답이 없다. 순서나 경중에 아랑곳없이 잇속을 짚느라 말 뜸을 들이는 버릇이 앞선 게다. 역시 찬수다.

"……듣고 있어요?"

"어, 어, 알겠는데…… 지금 내가 좀 멀리 나와 있어서 말이야……."

휴대폰 액정화면에 뜬 숫자는 07:53이다. 또 어디서 날

밤을 깠건, 자다 깨 정신이 덜 돌아왔건, 찬수에게는 한밤중이거나 꼭두새벽일 시각이다.

"말이지, 의뢰자가 이 시간밖에 시간이 안 난다고 해서 말이지."

밑도 끝도 없는 변명도 가관이지만 아무 때나 무슨 대단한 일이라도 하고 다니는 양 거들먹거리는 말투는 더 맘에 들지 않는다.

"그래서, 온다고, 만다고?"

"거 참 낭패구만."

"아우 씨발, 좆……."

종희는 거친 숨을 꿀꺽 삼켰다.

겪어도 겪어도 적응 안 되는 저놈의 말본새라니.

주장이 됐든 논의가 됐든 우스개가 됐든, 찬수는 일관되게 점잔을 뺀다. 상대가 건물주든 부동산업자든 술집아가씨든 가리지 않고 목소리를 납작하게 깔고 느릿느릿 말하는데, 그 점에서는 공평하다.

대신 그럴싸한 투자정보를 염탐해 두었거나 큰손과의 친분을 암시하는 뉘앙스를 풍길 때면 기름통에서 건져낸 듯 반드르르한 낯짝에서부터 거드름이 뚝뚝 흐른다. 결과에 따라 해석이 가능하게, 가 포인트다. 생색을 내거나 발뺌이 쉽도록 복선을 깔아두는, 가능성의 여지를 남겨두는 대사가 가히 예술적이랄까.

느근한 말버릇은 일상에서도 광택을 발한다. 밥 먹자, 자자, 같은 일차원적 생활어를 선언문 낭독하듯 근엄하고도 진지하게 구사한다. 미사여구가 달리는 종희로선 괴로울 때가 많다. 찬수는 그런 자신을 만족스러워했다. 실없이 공들이고 뜸 들이는 언행을 아름다운 묵직함이라 믿어서다. 지성의 결핍과 부족한 순발력을 보완하려는 셈속인 줄 알아챈 사람은 다섯 손가락을 넘지 않는다.

묘하게 설득력 있는 변설에 넘어간 사람은 누나 종달만이 아닌 모양이었다.

익수 형과는 달리 네 살 아래인 찬수는 평균 키를 넘어서고 이목구비가 조화로운데다 차림새가 훤하다. 첫눈에 사람들의 환심을 사는 쪽이다. 합판으로 뚝딱한 견본주택처럼 여기저기 드러나는 날림티를 중고 브랜드 가죽소파와 대형화환으로 눈가림한 그의 사무실에, 늘 정체불명의 '사장님'들이 들락날락하던 것만 봐도 그랬다. 대개는 한동안 드나들던 사장님들이 보이지 않게 되고, 그 빈자리를 신입 정당인(政黨人) 분위기의 한량들이 메우는 식이지만.

정작 찬수의 카드는 따로 있었다.

그는 큰누나의 배우자, 즉 큰 매형이 준종합 병원급 병상을 갖춘 의료원의 실세 부원장이며, 국립대학 강사인 여동생의 남편은 굴지의 대기업 박사 후(博士後) 연구원이고, 다른 여동생 하나는 시집을 여러 권 낸 시인이며, 그 매제는 주류 언론의 경제부 기자, 등등의 신상정보를 패키지로 엮어, 소위 비즈니스적 대화 중간에 끼워 넣곤 했다.

뿐인가. 그는 또 국회의원 보좌관인 외사촌형, 수임 및 승률로 광역시에서 'TOP 5'에 든다는 변호사 육촌 매제를 거론하는데, 자신의 아내가 5급 사무관이라는, 사실관계를 포함한 뜬금없는 언급 전부가 해괴한 자기 포장의 일환이었다. 사람들에게도 중요한 건 맥락이 아니라, 그를 둘러싸고 있는 위성의 광도(光度)였다.

그러나 그 들쑥날쑥한 문전성시도 한때, 고성과 삿대질과 멱살잡이가 하루건너 되풀이되는가 싶더니 찬수가 법정구속 되는 사태가 발생했다. 언젠가는 닥칠 일이라 예견했으므로 종희는 별반 놀라지 않았다. 바로 예전의 종희 자신이 그랬듯, 누구나 다 알만한 일의 추이를 당사자만 모르는 것이 세상 돌아가는 이치이므로.

종달은 미성년 아들딸이 듣건 말건 '띨띨한 새끼'와 '내

밥줄까지 끊어놓고야 말 새끼'를 입에 단 채 이혼을 하네 마네 거품을 물었다. 마침 따놓았다고 믿었던 승진에서 미끄러져 발광 직전인 타이밍이었던지라, 띨띨한 남편을 핑계로 한동안 자중하던 음주벽과 주사가 도졌다. 부하직원들이 하나둘 달아난 회식자리에서 저 혼자서도 마시고, 홀로 2차로 자리를 옮겨 다시 마시고, 집에 와서 또 마셔댔다. 생선 좌판을 접고 딸네 살림을 맡아 해오던 종희 남매의 어머니 박 여사는, 칠십 평생 멈출 줄 모르고 문턱을 타넘는 박복을 감수해야 할 업으로 여기며, 뽀얀 복국을 끓여다 바쳤다.

그런 한편으로 종달은 가상히 분주했다. '애들 아빠니까 일단 꺼내놓고 조지겠다'면서 술판과 술판 사이에 변호사를 만났다. 직장 내 평판을 고려해서였다.

더욱 가상하게도, 그녀는 면회를 다녀올 때마다 분노의 수위를 조금씩 낮춰갔다. 제 남편의 감언이설에 넘어가는 사람들 못지않게, 그녀의 귀 역시 얇디얇았다.

그럼 그렇지.

종희의 짐작대로였다. 그들 부부는 본인들만 인정하지 않는 환상의 커플이다. 서로 바퀴벌레 보듯 사갈시하다가도 공동의 손익이나 체면이 걸린 사안에서는 일심동체로 전선을 구축하여 대응하는 데 일말의 거리낌이 없는, '환장할 한 쌍'이었던 것이다.

종달의 동분서주가 무색하게도, 어쩌면 그나마 분주히 탄원한 덕에, 찬수는 5년 구형을 대폭 줄여 2년 실형을 살고 나왔다.

찬수는 한 서너 달 꽁지 빠진 공작처럼 머리를 처박고 두문불출 시늉을 하더니, 드디어 어딘가를 들락날락하기 시작했다. 오라는 덴 없어도 갈 데는 있다고, 육촌 매제가 대표변호사로 있는 로펌에서 잔심부름을 거들며 배달요리에 숟가락이나 얹는 눈치였다. 안주머니에 찔러 넣고 다니는 '상담총무' 명함은 필경 제 돈 들여 팠을 터였다.

"내 말은 그러니까 겨우겨우 성사시킨 미팅이란 말이지, 이게. 어쩌나 하필……."

상담총무님이 하나 마나 한 말을 읊조렸다. 형은 왜 하필 오늘을 가는 날로 잡았느냐는 푸념 대신이다.

"언제쯤 출발할 수 있어요?"

종희가 지레 기겁하여 찬수의 말을 끊고 물었다.

"바로 출발해도 시간이 좀 걸리겠는데. 아무튼, 최대한 빨리 끝내고 가도록 하지."

찬수는 앞뒤가 맞지 않는 말을, 여전히 점잖게 했다.

종희가 알기로, 격벽 너머의, 이제 세상 저 너머의 익수 형은 동생의 얕은 속내를 알고도 당해주고 모르고도 당했다. 유독 형에게만 기어오르며 때로 완력을 불사하는, 세상 점잖은 동생의 땡깡과 패악에 길들어서였다.

형제의 서열이 뒤바뀐 원인은 체격의 격차와 욕망의 크기 외에 더 있었다. 선천성 이기적 유전자와 부모, 특히 모친의 기대에서 제외된 후천성 피해의식이 형에 대한 변태적 복수를 정당화했기 때문이다.

여느 집이 그렇듯, 형제는 같고도 달랐다. 익수 형은 자신을 돌볼 줄 몰랐고, 찬수는 자신밖에 몰랐다. 부모대의 영화로 돌아갈 수 있는 '한 방'이 형제의 숙원인 점은 같으나, 형은 '과대망상'을, 아우는 '소탐대실'이라는 치명적 결함을 안고 있었다.

종희는 두 형제의 힘의 구도에 데자뷔를 느꼈다. 보통은 당사자의 진술보다 상투적 통념의 손을 들어주는 데 더 익숙하고, 익숙함은 곧 진실을 확증하는 근거로 작용한다. 실상이 채택되지 않는 데서 오는 억울함은 오롯이 통념에 수장된 당사자들의 몫이다.

"참, 경찰에 신고해야 될 걸? 했어?"

"매형이 먼저 형님을 보는 게 순서지."

"그냥 해. 시간 끌 거 뭐 있나. 어차피 경찰도 자네한테 사실 확인……."

이런 미친.

종희는 나머지 말을 듣지 않고 전화를 끊어버렸다.

*

수백, 수천의 얼굴들이 순식간에 지나간다.

도무지 익숙해지지 않는 얼굴들과 완전히 잊은 줄 알았던 얼굴들, 딱 한 번 스쳐 지나갔을 뿐인데도 벽지 뒷면에 슨 곰팡이처럼 사라지지 않고 있던 몇몇 얼굴들, 구역질 나는 얼굴들, 어쩌다 반가운 얼굴들과 외면하고 싶은 얼굴들, 용서하고 싶지 않은 얼굴들과, 아아 용서를 구해야 할 얼굴들……이 어둠 저 뒤편으로 사라져간다.

동시에, 무수한 얼굴들의 후경이거나, 혹은 별개로 복사된 수백, 수천의 장면들도 순식간에 지나간다.

측백나무를 등지고 서서 시키는 대로 카메라를 응시하던 어느 해질녘이, 일제 란도셀을 메고 두 살 터울 첫째 여동생의 손을 잡아끌며 유치원 문을 들어서던 어느 아침이

지워진다.

잘 알지도 못하는 어른들이 비통한 얼굴로 아버지의 영정 앞에서 향을 사르던 겨울 어느 날이, 이름을 써내지 않아 점수 처리가 되지 않은 시험지 때문에 통학버스를 타지 않았던 언젠가 하교 길이, 진학시험에 낙방하여 하늘이 무너진 듯 참담해하는 어머니 면전에서 더욱 참담한 얼굴을 들 수 없었던 그날의 어둑어둑한 방이 지워진다.

초반의 끗발이 막판에 꼭 뒤집히던 을지로 뒷방의 화투패들과 기름내인지 쇳내인지를 풍기던 사내들이…… 눈 한 번 깜박일 정도도 되지 않을 짧은 순간에, 정지한 것이라 해도 좋을 찰나에, 그럼에도 방금 찍어낸 인쇄물처럼 자세하고 또렷하게, 마치 얼레의 실이 풀리듯 풀려서 어둠 속으로 빨려들어 간다.

익수는 게걸스러운 어둠의 입구를 바라보았다.

수백 수천의 얼굴들이, 수백 수천 생의 배경들이 수천수만의 벌레가 되어 거대한 집진기 속으로 후두둑후두둑 떨어지고 있는 것 같다.

저건 나라고.

익수가 소리쳤다. 그러나 목젖에 들러붙은 가래처럼, 소리는, 소리가 되지 못했다.

저건 내 삶이라고.

익수는 안간힘을 다해 그 수많은 얼굴들 속에서 단 하나의 얼굴을, 그 하고 많은 장면들 가운데서 단 하나의 공간을 잡아챘다.

주혜. 생애 단 한 번 진심이었던 여자. 나의 여자.

그리고……

머리를 숙여야 안으로 들어갈 수 있었던, 그녀처럼 작고, 깊고, 어두운 방.

익수는 비로소 안도했다.

그녀라면, 그곳이라면, 두렵지 않다.

*

종달은 전화를 받지 않았다. 톡에도 침묵한다. 원래도 그녀는 집을 나서는 즉시 집의 일에 신경을 끊는다. 그 철칙이 오늘날 직장에서의 오종달을 있게 했다.

그러나 천하의 오종달이라도 시숙의 부보(訃報)를 씹지는 못할 터, 출근하자마자 득달같이 날아든 전언에 '일생에 도움이 안 되는 종자'라는 관용어를 짓씹으며 경조휴가원을 끼적이겠지.

종달은 한 동네 먼 이웃인 여사장(女社長) 댁 함선(艦船)이 동강 나서 가라앉을 즈음, 말하자면 진입 장벽이 낮아진 틈을 타 그 댁 차남 찬수와 교제를 시작했다.

꽤 준수한 외모와, 속물근성에 사이비 인문교양을 버무린 찬수의 수사학이 종달의 허파를 부풀린 건 사실이었다. 하지만 유혹의 결정타는 난파선의 잠재적 가치에 내린 종달의 오판이었다. 아직 은성하던 시절의 호화 크루즈에 대한 선망이 판단을 흐렸고, 기억의 족보에만 등재된 계층으로의 이동 욕망이 승선을 부추겼다.

종달은 찬수의 허장성세를 믿고 싶었고, 찬수는 명색 철밥통인 종달을 마지막 구명정으로 껴안아야 했다. 실제로 연애 당시 종달은 항만 검역소에 배속된 말단 검역관에 불과했으나 이후로 꾸준히 몸값이 상승했다. 주사(主事)를 거쳐 서기관을 넘보는 고참 사무관으로 시세가 달라지자 거칠 것이 없어졌다.

일단, 살던 가락을 들먹이며 올케를 깔아보던 교양 있으신 시누들을 정리했다. 부모 제삿날에도 접근을 불허하여 명실상부 출가외인으로 만들어버리는 것쯤 일도 아니었다. 문제는, 가진 거라곤 골골한 육체밖에 없는 신용불량

자 시숙과 남편의 기묘한 정서적 동거였다.

생긴 것이며 성정이며 셈속이며, 하나 닮은 데 없는 형제는 마치 분리 불안 장애라도 있는 듯 애착 관계를 형성하고 있었다. 시숙도 시숙이지만, 가만히 보면 남편 쪽에서 더 시숙에게서 떨어지지 못하는 듯 보였다. 기분대로, 안전하게, 좌지우지할 수 있는 대상으로서 시숙의 존재감은 크고 확고했다.

결국 종달은 그 기형적 결합체를 용인하는 한편 주기적으로 분통을 터뜨렸다.

- 아무튼지, 평생 남의 인생에 빨대를 처꽂는 종자들이라니까!

한 번은 보살 같은 박 여사가, 그렇듯 심히 불손하고 불량하게 내깔기는 딸의 등짝을 들고 있던 파리채로 후려치며 엄히 훈도했다.

- 이 미친 것아! 건건사사 지 서방 탓허고, 지 시숙 탓허고, 자리끼 수발 한 번 든 적 없는 지 시부모 탓을 허지.

- 그럼 아냐?

- 에라이 메친! 애저녁에 똥인지 된장인지 분간 않고 주질러 앉은 네 년 눈깔 탓을 혀야지 누굴 탓혀?

- 그냥 말하라고. 파리똥 묻은 파리채는 왜 휘두르고 그래.

- 파리채도 아깝다. 결딴난 집구석에 기어든들 무슨 부귀가 니 발 앞에 뚝 떨어질 줄 아느냐고, 통장 얘기 듣자하니 부자 망해도 삼 년 간다더란 말일랑 이 집구석엔 해당 사항 없겠다고, 내 니년 머리끄덩이 잡고 뜯어말릴 땐, 너 뭐랬냐? 알짜배기 특허가 몇 개인 회사람써? 은행에 넘어간 집도 공장도 경매로 도로 찾을 수 있담써? 무식해서 평생 생선 배때기나 가르고 산 에미 말이라고 콧방귀를 퐁퐁 뀌쌓더니.

- 말릴 거면, 좀 제대로 확실히 말리든가.

- 내 말이. 동태 궤짝 끌듯 니 년을 갈고리로 콱 찍어 냉동고에 처넣었어야 하는데.

- 그럼 엄마 탓이네 뭐. 딸이 지 팔자 지가 꼬는데 내버려둔 탓. 아니야?

- 오냐. 평생 비린내 뒤집어써서 새끼들 키워내고, 또 그 새끼의 새끼들까지 건사하고 있는 내 탓이다, 내 탓! 생선 창시 훑어내서 갈칠 만큼 갈친 년이라 소학교도 뒷문으로 들락거리다 만 어미보담은 나을 줄 알았던 내 탓이야, 내 탓!

- 그러니까 엄마가 책임지면 되겠네 뭐.

- 아이고 내 팔자야. 딸년에 아들놈에 사돈의 팔촌까지,

어째 멀쩡한 꼬라지 하나 구경을 못 혀, 내가. 내가! 내가!

종희는 익수 형의 얼굴을 물끄러미 내려다본다.

익수 형은, 적막하고 고요하고 평온해 보인다. 불가사의한 일이다.

어쩌면 기적이 일어난 건지도.

희한하게도 박 여사는 도매금으로 쓸어 담는 말과는 달리 사돈인 익수 형을 고까워하지 않았다. 딸처럼 드세지 않고, 사위처럼 얌통머리 없지도 않은 늙은 사돈총각을 볼 때마다 눈 밑에 그늘을 지웠다. 생의 마지막 몇 년을 식물인간으로 살다 간 안사돈에게도 부당한 억하심정을 내비치지 않았다. 아들이 아들의 친구놈과 붙어먹은 며느리와 갈라설 때도, 그냥 좋이 보내주라던 모친이다.

종희는 잠시 망설이다 휴대폰 잠금을 풀고 단축번호 1번을 길게 눌렀다.

뚜르르, 뚜르르.

저쪽에서는 얼른 답이 없다. 상대편에서 쉬어빠진 목소리로 "넌 또, 왜?" 하고 시비 걸듯 지청구라도 퍼부어주었으면 싶어서, 단 한 사람이라도 마음으로 익수 형을 보낼 사람과 말을 섞고 싶어서, 종희는 하나, 둘…… 하고 신호음을 센다.

자꾸 분하고 억울해지는 심정으로 여섯, 일곱, 여덟…… 한다.

*

지상에 닿았다. 두려워하던 일은 일어나지 않았다.

굴착기가 땅속을 파고들 때처럼, 온몸을 해체해버릴 기세의 진동도, 비명을 묻어버릴 굉음도 없다. 가벼운, 4월의 미풍에 하르르하르르 내려앉는 홑잎 벚꽃처럼 가볍디가벼운 착지다.

익수는 자신의 몸을 살핀다. 어루만진다.

말끔하고 개운하다. 한 번도 아픈 적이 없었던 것 같기도 하고, 한 번에 다 나은 것 같기도 하다. 아무 일도 일어나지 않았다는 사실이 믿기지 않으면서, 하나도 이상하지 않다.

게다가 사방이 확 트인 들판이라니, 얼마만인가.

그는 자신이 응당 와야 할 곳에 와 있다는 사실을 알았다. 저절로 알아졌다.

발밑은 초록의 융단을 깔아놓은 듯 폭신폭신하다. 걸음걸음이, 조금만 구르면 날아오를 수 있을 것처럼 가분하다.

눈 가는 곳마다 야생의 꽃들이 지천이고, 한 뼘을 넘지 않은 풀들 사이로 가르마 같은 소로(小路)가 곧게 뻗어 있고, 맑고 밝은 햇살이 물비늘처럼 반짝인다.

그는 또, 안다. 저절로 안다.

이제 끝이다. 다시는 집으로 돌아가지 못하리라.

꿈속의 자신과 꿈 밖의 자신이, 동시에 울고 있다. 그 울음이, 그 눈물이 굳은 몸을 부드럽게 적신다.

익수는 두 손을 모아 가슴으로 가져간다.

평화다. 마침내.

근대의 균열 위에 놓인 병리학의 소설

홍기돈
문학평론가

1. 인물의 심리 기제와 병리학

정길연 소설의 주인공들은 일상생활이 어려울 정도로 깊은 병을 앓고 있으며, 경제적 곤란 또한 심각하다. 「화요일의 낙법」에서 "오래도록 수입이 전무한 금치산자" '익수'는 제 몸 하나 까닥하지 못하는 말기 신부전 환자로서 누워 지내는 형편이다. 「달개비꽃」의 '지요'는 기립성저혈압에 시달리는 한편 미주신경성 실신으로 갑작스럽게 픽 쓰러져 버리기도 한다. "잔고는커녕 마이너스통장과 카드대출을 막느라" 전전긍긍할 만큼 경제 형편도 어렵다. 가족과 친지 혹은 친구의 도움이 절실한 형편이라 할 수 있겠는데, 도움을 기대할만한 이들은 냉담하기만 하다. 도움을 주기는커녕 오히려 멸시와 무관심을 날카롭게 드러낼 따름이다. 그렇다면 우리가 공유하고 있는 친밀감에 기반하는 유대 의식은 심리적 안정을 이어나가기 위한 허위적 장치에 불과할 따름일까. 정길연의 소설은 이러한 사실을 심문하고 있다.

말기 신부전 환자 익수부터 살펴보자. 신부전 증상으로는 피로, 식욕감퇴, 오심, 구토, 어지러움, 피부 소양증 등을 꼽을 수 있다. 사회 속에서 사람들과 관계를 맺기에 익수는 애당초 무기력한 요인을 끌어안고 있었고, 결국 전신불수가 되어 활동할 수 없는 상태에 이른 것이다. 그렇다면 익수가 타인과의 관계 맺기에서 무력하게 된 까닭을 따져 물어야 할 터, 기실 익수의 신부전 질환은 그의 존재 양태를 드러내는 상징이며, 「화요일의 낙법」의 전체 얼개는 '신부전=익수'의 내력을 하나씩 펼쳐 보이는 과정에 따르고 있다.

가족 관계에서 익수가 감당해야 할 역할은 아버지의 죽음을 계기로 부각되었다. 첫째, 마흔셋으로 죽은 아버지는 호적에 올리지 않은 아내와 아들 · 딸을 두고 있었으니, 익수는 그 사실을 모르고 결혼한 어머니의 경쟁의식 · 바람 등을 안고 아버지의 자리를 이어나가야 했다. "잊지 마라. 어찌 됐건 네가 장자다. 이 집안은 네게 달렸다." 그러니까 아홉 살짜리 익수는 이복형네 식구 3인의 "훗날의 반전을 기약하는 결기", "치욕을 잊지 않으려는 절치부심", "전투의지" 따위와 정면에서 맞닥뜨려야 하는 자리에 내세워진 셈이다. 둘째, 같은 배에서 출생한 동생 찬수, 정수, 혜수 또한 익수에게 멸시와 적의를 내보인다. 남동생 찬수는

"모친의 기대에서 제외된 후천성 피해의식이" 있어서 익수에게 "변태적 복수를" 가하는가 하면, 여동생들은 장자 우대에도 불구하고 번번이 실패만 거듭하는 익수를 일러 "영락에 영락을 거듭한 존재"로 무시할 따름이다.

이렇게 정리하고 보면, 익수는 어려서부터 맞서서 극복해야 할 대상들에 둘러싸였던 셈이라 할 수 있다. "익수는 맨몸으로 운명의 표적물이 되었다. 세상의 모든 눈들이 화살로 변해 자신을 향해 날아오고 있는 것 같았다. 남몰래 오줌을 지리고, 남몰래 헛것을 보고, 총명을 기대하는 사람들 앞에서는 진땀이 버쩍버쩍 났다. 급기야 말을 더듬었다. 사방에서 날아오는 살촉으로부터 벗어나려면 땅으로 꺼지거나, 하늘로 솟아오르는 수밖에 없었다." 익수가 앓고 있는 신부전은 익수의 이와 같은 심리 상태에 대응한다. 갈등 · 긴장으로 옥죄는 인간관계에서 자신의 존재를 지움으로써 평화에 이르고자 하는 심리 기제가 대인 관계를 어렵게 만드는 심부전으로 표상된다는 것이다. 여기서 가족이 보호와 안식을 주는 단위가 아니라 갈등과 긴장으로 옥죄는 단위로 기능하고 있음을 눈여겨볼 필요가 있겠다.

「달개비꽃」의 지요는 기립성저혈압을 앓고 있으며, 미주신경성 실신을 하기도 한다. 두 질환은 환자를 주저앉히거나 쓰러뜨린다는 공통점이 있는데, 이는 의식 · 활동의 중단을 야기한다. 미주신경성 실신의 경우 원인으로 극심한 신체적 스트레스와 감정적 긴장이 꼽히는 만큼 그러한 활동의 중단은 타인과의 관계 맺기 어려움과 연관됨이 드러난다. 어째서 지요는 타인과의 관계에서 감당하기 어려운 수준으로 스트레스를 받는가. "두 사람 이상만 모이면 알게 모르게 서열이 생긴다더니" 을로서의 자신을 느낄 수밖에 없기 때문이다. 대학 후배라고는 하나, 피디 '황보'는 "들어올 때와 나올 때가 확 달라지는" 변덕의 소유자다. "선후배에서 갑과 을의 관계로 전환될 수 있음을" 염두에 두고 주어진 일감을 처리해야 하는 것이다. 친구 '윤' 또한 사사건건 지요보다 우위에 서려고 한다. 도움을 제공한 뒤 다른 데서 공치사를 하는가 하면, 지요의 연애에 대해 걱정을 가장하여 질시하는 면모를 드러낸다. 연애가 파탄에 이르렀을 때 지요는 생각한다. "윤은, 아마도 신이 나겠구나. 나를 살피고 싶어 몸이 달았겠구나."

'방'과의 연애 또한 다를 바 없다. 소설에서 방이 지요에게 애정을 드러내는 대목은 나타나지 않는다. 방은 그저 종잡을 수 없는 행보로 일관할 따름이다. "늘 그런 식이었다. 내 쪽에서 애틋해하는 기미가 읽히면 그 자신이 숨고, 그러거나 말거나 그를 내버려두면 짠, 제 발로 나타나 싱긋 웃었다. 이를 드러내고 웃는 그의 모습이 장난스러우면서도 깨끗해서 흡족한 선물을 받은 것처럼 내 마음이 흔연해지는 사실을, 방은 잘 알고 있었다." 그러니까 상대인 방보다 많은 애정을 가진 지요가 을로 기울어져 있는 셈이다. 방은 최악의 갑질을 해 대듯이 지요와 헤어진다. 마지막 만났을 때 방은 갑작스럽게 "당신은 세상에서 가장 두려운 게 뭐야?"라고 묻고는 다음과 같이 자답한다. "난 세상에서 가장 무서운 게 가난이야. 감옥에서 느낀 구속감보다, 지갑이 비었을 때 느끼는 압박감이 더 겁나더라고." 얼마 뒤 언론을 통해 방과 김 아무개 변호사의 결혼 소식이 보도되고, 지요는 윤이 보낸 문자로 그 사실을 알게 된다.

결혼 소식과 함께 신문에 실린 윤의 사진은 "국제 인권단체와 시민단체의 구명운동으로 3년여 금고형을 당겨 풀리던 날" 찍힌 것이다. "90년대 대학의 이념서클을 거쳤다는 윤에게 방이" 전설이었다는 구절도 있거니와, 방은 인간이 인간 위에 군림하는 갑을 관계를 경멸하고 거부할 듯한데도 불구하고 그에 충실하다. 지요와의 별리를 합리화하는 가난 운운은 결국, 갑을 관계의 철폐가 아니라, 경제적 · 사회적으로 갑의 자리를 놓치지 않겠노라는 의지의 피력이 아닌가. 자기희생을 동력으로 삼았던 민주화운동 진영의 인물마저 갑을 관계에 철저하게 포박된 형국이니 지요에게 그 사슬로부터 옴짝달싹할 도리가 있을 리 없다. 지요는 왜 기립성저혈압과 미주신경성 실신에 시달리는가. 종으로 횡으로 촘촘하게 작동하는 갑을 관계에서 을의 자리에 놓여 있기 때문이다. 그로부터의 탈주 여지는 주어지지 않았기 때문이다. 의식이 멈춘 상태를 통과해서야 지요가 비로소 한숨 돌릴 수 있는 까닭은 이로써 말미암는다. 이처럼 「달개비꽃」에서도 주인공 지요의 질병은 존재의 표상으로 작동하고 있다.

2. 가부장 문화의 파산과 근대 문화의 균열

「화요일의 낙법」, 「달개비꽃」에는 평안과 위안을 제공하는 심리적 지지대로서 가족의 상이 전무하다. 이러한 양상을 낳게 된 원인이라면 우선 젊은 아버지의 갑작스러운 죽음을 꼽게 된다. 「화요일의 낙법」에서 익수 부친은 마흔셋 나이에 죽어 익수로 하여금 '운명의 표적물'이 되도록 만들었고, 「달개비꽃」에서 지요 아버지는 마흔하나에 뇌일혈로 쓰러져 죽음에 이르렀기 때문이다. 뇌일혈이 갑작스러운 의식장애 등의 증상을 야기한다는 사실에 근거한다면, 지요 아버지의 뇌일혈은 지요가 앓는 미주신경성 실신과 같은 맥락으로 묶어 접근할 수도 있겠다. 뇌일혈과 미주신경성 실신의 관계가 어찌 되었든, 익수 · 지요가 어린 나이에 맞닥뜨린 아버지 부재 상황은 가족의 안정을 허물었고, 이후 안식처로의 가족이 허용되기 어려운 계기로 작용하였으리라.* 그런데 이는 계기로 작동했을 따

---

* 작가 정길연은 세 살 때 부친을 여의었으며, 가족의 파탄이라는 주제로 그간 적지 않은 작품을 발표해 왔다. 「화요일의 낙법」, 「달개비꽃」의 세계와 작가의 이력이 일치하는 바 있으며, 작가에게서 같은 주제가 반복되고 있는 만큼 이를 둘러싼 작가론이 가능할 듯하다.

름이고, 향후 익수와 지요가 직면한 상황을 비교한다면, 차라리 가족 문화의 측면에서 접근하는 것이 보다 타당할 듯싶다.

「화요일의 낙법」에서 익수는 전근대 가부장적인 문화에서 성장하였다. 남자의 호적 등재 여부를 중심으로 가족이냐, 아니냐를 판별 · 인정하는 방식이 이에 해당하며, 장자가 집안의 명운을 책임지고 아버지의 뒤를 이어야 한다는 인식은 그와 연동한다. 어린 익수가 "장자 우대 가풍에 따라 할머니와 따로 겸상" 받는 일상도 심상하다고 말하기는 어렵다. 그런 점에서 익수는 선택받았다고 할 수 있겠는데, 그렇게 부여된 특권이 익수의 행복을 보장하고 있는가는 재삼 생각할 필요가 있다. 특권이 주어지는 만큼 그에 비례하여 익수에게는 식구들의 염원을 충족시켜야 한다는 무게가 가중되기 때문이다. 그런 점에서 여동생들이 익수에게 부여한 "영락에 영락을 거듭한 존재"라거나 "날개를 접지 못한 자"라는 별칭은 퍽 적절하다. 익수에게는 날아오르거나, 추락하는 두 가지 길만이 주어져 있다. 그 외에 다른 길은 없다.

가부장적인 체제 속으로 익수를 비끄러맨 존재는 그의 어머니다. "누가 뭐래도 네가 아버지의 뒤를 잇게 될 거야." 작품에서 이는 하나의 장면으로 제시되기도 하였다. 가볍게 날아오른 익수가 지상 세계를 내려다본다. "아버지가 손수 식재한 관상용 교목들이 빼곡한 정원 한가운데서 회양목처럼 작고 다부진 어머니가 손을 흔들었다. 어머니의 손에는 얼레가 들려 있었다. (중략) 그는 제 힘으로 날아오른 것이 아니라는 사실을, 제 뜻대로 내려갈 수 없다는 사실을, 어머니를 이길 수 없다는 사실을 깨달았다. 그의 부력의 원천은 어머니였다." 이와 같은 상황에서 문제가 되는 것은, 믿음과 사랑의 결핍이 아닌, 장남에 대한 어머니의 맹목적인 믿음과 사랑이라 할 수 있지 않을까. "익수는 어머니를 사랑했고—그렇게 믿었고—어머니도 그를 사랑했지만—믿어 의심치 않았지만—자신을 그르친 건 너무 일찍 세상을 떠버린 아버지가 아니라, 사랑 깊은 어머니였다."

동아시아 사회에서 세계의 근본원리로 강조했던 개념은 지정(至情)이었다. 나와 너는 각각의 개별자로 서로 떨어져 있는 것이 아니라, 그에 앞서 예컨대 부모와 자식[父爲子綱]이라든가 공적 사회에서의 위계[君爲臣綱] 혹은 남녀[夫爲婦綱]와 같이 관계에 입각해 있으며, 선험적으로 주어진 혈연 · 사회 · 성별 관계는 지정을 근거로 작동한다는 것이다. 지정 가운데 가장 절절한 사례로 통용되었던 것이 자식에 대한 어머니의 사랑이다. 이와 같은 맥락에서 파악하건대, 익수의 삶을 "사랑 깊은 어머니"가 그르쳤다는 진술은 동아시아 전근대 체제에서 기원한 가부장적 가족 모델의 파탄을 지적하는 것으로 이해하게 된다. 가부장 문화와 그에 입각한 질서를 겨냥하고 있는 「화요일의 낙법」의 작가의식은 이 지점에서 분명해진다.

그렇다면 「달개비꽃」의 경우엔 어떠한가. 정(情)이 말소된 후기자본주의 사회의 환경이 도드라진다. 지요가 선택할 수 있는 것은 아무것도 없다. 술도가 촬영 현장에 동행해 본들 “남의 일터에서 개밥의 도토리처럼” 겉돌게 되리라는 사실을 알고 있으면서도 지요는 “눈 질끈 감고 제작진의 천덕꾸러기가 되는 쪽을” 선택할 수밖에 없다. 갑의 위치에 자리한 후배이자 피디인 황보가 원했기 때문이다. “세상 사람들이 단짝친구로 알고 있는 윤”과의 관계 또한 비슷하다. 방과 헤어지리라 결심하면서, 동시에 “윤과의 관계를, 혹여 그 관계가 쌀알만 한 우정이었다 한들, 끝을 내기로 다짐한다.”고 하지만 과연 그 다짐이 제대로 실행될 수 있을까. 지요는 줄곧 “을의 태도로 처신하고” 있었으면서도 윤을 “견뎌내야 하는 불가근불가원의 존재”로 인정할 수밖에 없었다. 윤의 도움을 무시할 수 없었기 때문이다. 그러니까 여전히 윤의 도움이 필요한 지요의 형편으로서는 절교를 실행하기가 만만치 않으리라는 것이다.

가족 제도를 둘러싼 상황도 마찬가지다. 이혼한 남편은 이미 남일 따름이다. 아들 문제로 큰돈이 필요한 상황임에도 불구하고 전남편은 그저 말만 앞세울 뿐 아무런 도움도 제공하지 않는다. 언제나 그런 식이었으니 “8년 전 갈라선 이후로 양육비는 고사하고 4B연필 한 자루 사준 적 없는 화상”이라고 했을 테다. 법적인 계약이 가 닿지 못하는 지점으로 나아간 전남편은 도덕적 책임까지 지워버린 셈이라고 하겠다. 전남편의 경제적 도움에 기대 · 미련을 두었다면 지요는 이 경우에도 영락없는 을일 수밖에 없다. 방과의 연애는 이와 대칭된다. 지요가 방에 대한 기대 · 미련을 가지고 있으나, 가족을 이루지 않았으므로 방은 법적인 책임 바깥에 자리한다. 그렇지만 연인으로서 도덕적 책임까지 면제되는 것은 아니다. 전남편과 마찬가지로 방 역시 도덕적 책임감이 결여되어 있었으니, 지요 홀로 낙태를 감당하도록 만든 상황이라든가 지요에게서 일방적으로 떠나가는 장면에서 이는 분명하게 확인할 수 있다.

근대 사회는 이성에 입각한 개별자를 근본단위로 설정한다. 이를 정식화해 낸 것이 데카르트의 코기토이며, 원자 상태의 개별자와 개별자를 일정한 관계로 묶는 것은 사회계약이다. 이성을 가진 개별자가 계약을 통하여 이성을 갖춘 타인과 관계를 형성해 나간다는 논리인데, 계약이 이익을 추구하는 방편인 이상 개별자는 상대 개별자를 자신의 소유 증대를 위한 도구로 처리하기 십상이다. 이러한 긴장 관계에서 을로서의 약자가 한낱 도구로 전락함은 물론이며, 계약의 이면에서 을은 갑의 눈치를 살피면서 도덕에 입각한 갑의 시혜를 기대할 수 있을 따름이다. 근대에 구축된 '자유롭고 이성적인 개인'이라는 신화는 이 지점에서 균열을 드러내는바, 다음과 같은 지요의 탄식은 그러한 균열 지점에 정확하게 들어맞는다. "내 인생은 내 것이었을까. 내 연애는 진짜 연애였던 것일까. 어쩌다 나는 내 삶에서조차, 내 연애에서조차, 주인공이 되지 못했을까." 코기토 류의 '나'는 없다. 근대 체제에 입각한 문화 또한 이미 낡아 가부장제 문화의 대안이 될 수 없다는 사실을 「달개비꽃」은 일깨우고 있다.

3. 달개비꽃과 세상 바깥의 물기 'X'

어디로 나아가야 할지 방향을 알 수 없으나, 지금 여기의 세계는 한계에 봉착한 상태이다. 탈근대가 치열하게 모색되는 까닭이 여기에 있다. 「화요일의 낙법」과 「달개비꽃」은 이러한 맥락 가운데서 인간을 새롭게 이해하고, 그에 입각한 문화를 일구어야 할 필요성을 드러내고 있다. 두 작품에는 전반적으로 부정적인 색채가 가득하나, 다른 세계로 건너갈 일말의 여지를 작가는 남겨 두고 있다. 「화요일의 낙법」의 '종희', 「달개비꽃」의 '낯선 남자'가 이에 해당한다. 그들은 딱히 의무감을 느껴야 할 관계가 아니며, 익수 · 지요에게 아무런 기대도 갖지 않은 채, "조건 없는 호의"를 정성스럽게 베풀고 있는바, 인간의 내면에 흐르는 이와 같은 정서가 아마도 새로운 사회 구성의 근거로 고려되어야 할 것이다. 우리는 아직 그 길을 모르며, 새로운 세계의 바깥을 겉돌고 있다.

그런 점에서 한 문장으로 구성된 「달개비꽃」의 마지막 문단은 깊은 울림을 남긴다. "세상 저 밖에서는 아무도 모르는 물기가, 아무도 모르게, 투명하게 말라가고 있다." 지금 여기 펼쳐진 세상 바깥에서, 아무도 모르게 말라가고 있으므로, 미지의 그 물기는 일단 'X'라고 부를 수밖에 없을 터이나, 물기가 생명력을 상징한다는 사실쯤은 오래된 문학의 전통에 기대어 알아챌 수 있다. 또한 책갈피에서 말라가는 달개비꽃을 매개로 마지막 문단이 가능해졌다는 맥락도 무시할 수 없다. 달개비꽃은 조건 없는 호의를 베풀었던 낯선 남자가 떠나는 지요에게 쥐여주었던 것. 갑을 관계로 촘촘한 이 후기자본주의 세계에서 달개비꽃은 마치 빈틈마냥 놓여 있는 셈이다. 물론 그 빈틈은 새로운 세계를 개시하는 상징으로 남아 있게 되리라.

달개비꽃의 꽃말은 '순간의 즐거움', '그리운 사랑'이라고 한다. 물기 'X'는 달개비꽃의 순간이 일상으로 지속되고, 그리움이 현실로 충족될 때 그 실체를 명료하게 규정할 수 있겠다.

내 또래가 다 그렇듯이 나도 예외는 아니어서 날 받아놓고 병원 나들이를 한다. 좀 이르다 싶은 감이 있기는 하지만 어쩌겠는가, 복불복이다.

그다지 심각하진 않지만 난치로 분류된 지병 때문에 정기검진을 받던 날이다. 해당 검사실 의료진이 나의 발병과 연관성을 찾아내려 부모님 포함 윗대의 가족력을 물었다. 아, 하고 잠깐 주춤하다가, "글쎄요, 양친이 일찌감치 졸(卒)하셔서들 평균 발병 시기에 이르러 동종의 병을 앓으셨을지 말으셨을지 가늠할 길 없겠"노라 장황히 답했다.

그러자 질문을 한 이가 그만 고개를 푹 숙이는 것이었다. 그 말이 맞기도 하고 우습기도 한데, 그렇다고 대놓고 웃기에도 좀 뭣한 내용이어서 그랬지 싶다. 물기 없는 곡분처럼 풀풀 날리는 타입이 아니어서 고마웠다.

그가 만약 본분에 충실을 기해 내 형제자매의 정황을 마저 물었다면 이번엔 내 쪽에서 고개를 숙이고 말았을지도 몰랐을 것을, 본의 아니게 부적절해진 앞선 문답이 제풀에 난처해서 그랬는지 엉겁결에 깜빡 잊었는지, 다행히 그는 거기까진 묻지 않았다. 그냥 넘어갈 수 있었다.

그 몇 달 전에 나는 '영락에 영락을 거듭한' 오빠를, 바로 두 해 전에는 '솔메이트'라고 여겼던 언니를 보냈다. 의심을 살 만한 가족력이란 것이 확실해진 셈이다. 검사실의 그가 문진을 빠뜨리지 않았다면, 아마도 나는 입에 올리고 싶진 않았어도, 질겅거리는 고기 힘줄을 뱉어내듯 그 음험한 단어들을 왈칵 내뱉어버렸을 텐데.

그리고,

내 자리로 돌아와 이 책에 실은 「화요일의 낙법」과 「달개비꽃」을 쓰기 시작했다. 쓰고 나니 이제 시작이라는 기분이 들었다.

'두 번째 봄'이라는 가을을 기다리며,

정길연

경驚.기記.문文.학學 46

달개비꽃

정길연 소설집

초판 1쇄 발행 2021년 9월 20일

지은이 정길연
펴낸이 김태형
펴낸곳 청색종이
등록 2015년 4월 23일 제374-2015-000043호
주소 서울시 영등포구 문래동2가 14-15
전화 010-4327-3810
팩스 02-6280-5813
이메일 bluepaperk@gmail.com

ISBN 979-11-89176-67-9 03810

이 도서는 경기도, 경기문화재단의 문예진흥기금으로 발간되었습니다.

값 6,800원